確実に
月10万稼げる
「令和の内職」

SNS サポート副業

土岐あい
チームビジネス
プロデューサー

大和出版

あなたはご存じでしたか？

「昭和の内職」ならぬ、

「令和の内職」

という「新しい働き方」があることを。

日本も世界も将来も。
周りを見渡せば、不穏で不安な状況しかない……。

昇給だって、年金だって、あてにならない……。

このままの業績では、「定年延長」も厳しそうだ。
今のパート先から、「来月からはごめんなさい」になったらどうしよう?
定年になったらどうしよう?

食費からガソリン代など日々の生活費、
子どもの学費に、老後の資金、親の介護。
「政治家に不満をぶつけている場合ではない」のは頭ではわかっている。

とはいえ、自分には、「起業」や「投資」をすることへの勇気や覚悟はない。

そもそも、「才能」なんて何もない。

月にあと10万、

ああ、少なくともあと10万円あったらな。

そうすれば、不安が少しでも消えていく。

というあなたに、ぜひ、おすすめしたい働き方。

それが、

「令和の内職」です。

これは、

「スマホだけで誰でも月10万円」とか、
「寝ているだけで毎月10万円」
のような、あやしい詐欺商材ではありません！

詐欺とは程遠く、華々しくもなく、淡々と、地味にコツコツと。

それなのに、

気づいたら、
あなたの毎日は確実に変わってきます。

お金への不安が消え、安穏な日々が訪れます。

何より、
この「令和の内職」は、
これまであなたが経験してきたかもしれない、
「満員電車」や「つらい人間関係」や「ストレス」がありません。

好きな時間、好きな場所、あなたのペースで
仕事を選び行うことができるのです。

いかがでしょう？
それでも、まだ、
「自分には得意なものなんてない」と思っているあなた。
そんなあなたにも、必ず見つかる働き方を、そして稼ぎ方を、
次ページから、ずずずい——っとお伝えしていきますね。

はじめに

知られざる「令和の内職」で人生に安定を！

○夕食後ぼーっとしていた時間がお金になる

毎日のように流れてくる値上げのニュース。

2023年は、7月時点で値上げした食品が3万品目を超えました。

ガソリンも輸入品も多くのものが値上がりしていく中、お給料はほとんど変わらず、なんだか生活が厳しくなっているような気がしている人も多いのではないでしょうか？

子どもの学費に老後の資金、親の介護だって始まるかもしれない。

資産が1億円以上ある日本の富裕層はたったの2・5％。大多数の人は少なからず将来の、もしくは今現在のお金の不安を抱えているとも言えます。

あと月に10万円、収入が増えたら良いと考えたことはありませんか？

今よりも月の収入がプラス10万円あれば、年間では120万円。子どもの大学の費用だって支払えますし、数か月に一度の家族旅行にあてることもできます。10年積み重ねることができたら1200万円になります。

あと10万円。プラス10万円。

2023年の平均昇給額は平均1万9923円。中小企業だと8328円です（※出典：日本労働組合総連合会　2023年春闘）。昇給ではとても10万円に届きません。

ではいっそのこと、起業してみるという手段もあります。

2014年頃から始まったSNS起業ブームも10年近く経って、ずいぶん二極化が進みました。

稼いでいる一部の起業家が億単位で稼いでいることを華々しくうたっているので、景気が良いように見えますが、実際のところ月商が「50万円未満」の起業家は6割、パートタイム起業家は9割以上というのが現実です（日本政策金融公庫総合研究所「２０２２年度起業と起業意識に関する調査」）。

InstagramにTikTok、X、Threads、Facebook、YouTube、note、blog、Voicy、公式ＬＩＮＥにメールマガジンなどなど、ＳＮＳ媒体の数も種類も増え、作業量は増えているのに、収入が思うように増えていないという起業家も少なくありません。

好きなこと・好きな場所・好きな時間で働きたいからこそ起業したはずなのに、講座の授業料やイベントの参加費、日々の作業でむしろ会社で働くよりもブラックな環境になっている方も多くいます。

また、セッション系、講座系のビジネスは集客し続けないと収入が続きませんし、サービス提供の期間中は、セールスの手がどうしても緩まり売上が上がらず、収入が不安定になります。近年流行ったオンラインサロンも、単価の安さと継続のための労力や維持コストが見合っていないケースも増えてきています。

一方で、日々のSNS投稿や、顔出し、広告、営業などなしで毎月堅実に稼いでいる人がいることを、あなたはご存知でしょうか？

彼、彼女たちは、本業の隙間時間や育児・介護の合間などの時間を使って月に5万円・10万円・15万円と確実に稼いでいるのです。

「スマホだけで誰でも月10万円」とか「寝ているだけで毎月30万円」みたいなあやしい詐欺商材ではありませんよ。

詐欺とは程遠い、もっと地味で、すごく地味で、とにかく地味で、華々しさも、目立つこともなく淡々と裏方で仕事をする、いわば「令和の内職」と呼ばれる仕事があるのです！

実際にこの働き方をしている人は、会社員をしながら月額5万円とか、エステティシャンをしながら月額15万円とか、毎月ある程度決まった金額を受け取り、さらにはそれが積み重なっていくような働き方をしています。

「資格も技術も実績もない自分が、夕食後ぼーっとしていた2、3時間作業することでお金になって驚いた」

という体験談を語ってくれたのは50代の工場勤務の男性です。

特別なスキルや経験や人脈がなくても、SNSに詳しくなくても、できる仕事はたくさんあるのです。

それがどんな仕事なのか知りたいと思いませんか？

○自分に合った仕事で収入UP

ひと昔前は、封筒貼りとかキーホルダー作成などが、いわば「内職」と言われていましたが、近年コロナ禍でリモートワークが進んだこともあり、オンラインでできる内職が増えてきました。

自宅にいながら、あるいはカフェや旅行先でも、ネット環境さえあればできるのが、私

がおすすめする令和の内職「ＳＮＳサポート副業」です。

あなたは「ＳＮＳサポート副業」と聞いてどんなイメージが湧きますか？

ＳＮＳサポート副業とは、ＳＮＳを使ってビジネスを行っている人をサポートする仕事、副業のことです。

デザイン、ライティング、動画編集、ＳＮＳ投稿代行、顧客対応、メール返信、グッズ配送、イベント運営、経理事務などなど、その内容は多岐にわたります。

- **ＳＮＳに詳しくないとダメかな？**
- **画像や動画の編集スキルが必要かな？**
- **文章がうまくないとできないかな？**

そんなふうに思うかもしれません。

でも実際、ＳＮＳサポート副業には非常に多彩な仕事があります。

想像してみてください。

あなたが好きなインフルエンサーさんや、いつも動画を見ているYoutuberさん、芸能人など、活躍している人たちからどんな情報や、メール、お知らせが届いていますか？

そしてそれを発信しているのは誰でしょう？
商品を発送してくれているのは誰でしょう？

大人気で多忙な有名人が、1件1件メールを返信したり、商品を発送したり、入出金の管理をしている……なんてはずはありませんよね？

そう、そこには裏側で支えるサポートスタッフが、かならず存在します。

この本では、そんな表舞台で活躍する人を支えるSNSサポートスタッフについて、この道20年の私がお伝えしていきます。
遅くなりましたが、あらためて私の自己紹介をすると、私、土岐あいはWEB制作歴23年、経営者歴20年、2児の母です。

新卒で、当時はやりだったＩＴベンチャーに就職し、まだ「ホームページ」黎明期の頃から大企業や官公庁、学校法人などの案件を多数手がけてきました。

3年間の勤務後、独立。

そこからは個人事業主7年、法人13年と起業してからは20年が経ちました。

その間に手がけたサイトは５００件以上、２０１４年頃からはＳＮＳ起業家ブームに乗って、さまざまな起業家たちのＷＥＢ設計やＳＮＳプロデュースを行ってきました。

これらを通して気づいたこと。

それは起業するには勇気や覚悟はないけれど、お金を稼ぎたいという人が、実に多くいるということです。

と同時に、ＳＮＳを使ってビジネスをしている多くの人たちが、年々増え続けていく業務をサポートしてくれる人を求めているという現実でした。

しかもその数は、想像以上に多かったのです。

そこで、ＳＮＳサポート副業専門の、副業・フリーランスの学校を２０２２年11月に開講し、２０２３年9月現在、75名の受講生に、さまざまな方面から実践的な多くのことを教えています。

彼らは、先ほどご紹介した人たちのように、月に5万円から、中には副業からスタートし、今ではフリーとなり月額１００万円以上稼ぐ人もいます。

いかがでしょう。

ここまでお読みになり、「自分にもできる」という手ごたえを感じはじめてきませんか？

この本では法人・個人の案件で必要とされる仕事やその種類、具体的な内容、収入、実際の仕事の請け方、また学校では伝えきれなかったことまで、現場で培われた20年の経験を惜しみなくお伝えしていきたいと思います。

ぜひあなたの向いている仕事で、収入を得る方法を手に入れてくださいね。

土岐あい（チームビジネスプロデューサー）

SNSサポート副業　目次

③ 自分の得意なことがわからないあなたへ 040

④ SNSサポート副業をする人に求められる資質とスキル 068

第章

あなたの適性を
どう活かしていく?

ズバリ! 適職を見つけよう!

第3章

このアプローチで仕事が途切れない！

希望の職種に就く方法から実践的ノウハウまで全公開

第4章 押さえておきたいお金の基本と税金問題

収益化はこうしてできる！

第5章 可能性は拡大の一途！ 「SNSサポート副業」ステップアップ戦略

第6章 それでもうまくいかなかったときのアドバイス

本文イラスト　松本うち
本文レイアウト　岩永香穂（ＭＯＡＩ）
本文ＤＴＰ　美創

プロローグ

今、大注目の「令和の内職」

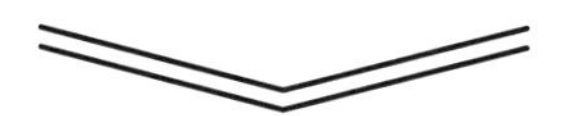

自宅で
スキマ時間を使って
安定的に月に10万円!?

1

小学生でもできる？ SNSに詳しくなくてもできる投稿代行

SNSサポート副業の代表格と言えば「SNS投稿代行」です。

「SNSに詳しくないし……投稿せずに見ているだけだし……」

という方でも大丈夫！

正直言って、小学生でもできます。パソコンがあればより作業しやすいですが、スマホからでも可能な作業です。そうはいってもまだ「私にもできるかな？」と考えてしまう方のために、わかりやすいように具体例をお伝えしますね。

業務内容1

クライアントがFacebookに投稿した内容をアメブロに転載する。

作業内容

①クライアントが書いたFacebook記事をメモ帳にコピペ
②メモ帳上でアメブロ用に改行などを調整
③あらかじめ準備したアメブロのテンプレートにペースト
④文字サイズや文字色を変更
⑤適宜写真を入れる
⑥タグを設定して予約投稿

業務内容2

クライアントが書いたアメブロの記事を分割してX（Twitter）に投稿（ポスト）する。

作業内容

①クライアントのアメブロを確認
②メモ帳にコピペする
③140文字以内に調整
④タグをつける
⑤Xにログインして予約投稿をする

以上です。慣れれば15分もかからないで作業完了します。

1件300円程度が相場ですので、時給で考えると1200円。アルバイトだったら悪くない金額ですし、隙間時間でどこからでも作業できるのが一番の魅力です。

複数のクライアントから案件を請けていけば、収入自体も増やしていくことができます。

パソコンのほうが作業しやすいですが、スマホでもやろうと思えばできる仕事です。

実はスマホだけでできる、もっと簡単な仕事もあります。

それはＳＮＳのアクション代行です。

たとえば、ＳＮＳ投稿記事についたコメントに「いいね」を押したり、簡単な返信をしたり、同カテゴリの人をフォローしにいったり、ＤＭに返信をするという仕事です。

このようなアクションをすることで、そのＳＮＳでのアカウントの表示率が上がりますので代行が仕事になるのです。

その他にも、メルカリやオンラインショップに、商品画像や説明書を登録する仕事もあります。

1分100円で「愚痴を聞く」というような仕事も存在します。

これならば本当にスマホ1つで隙間時間にできますよね。

家で、通勤時間で、旅行先で、可能性は無限大

ＳＮＳサポート副業の魅力は、なんといっても場所や時間を選ばないことです。
実際に仕事をしてもらっているスタッフさんたちは、平日の日中は本業のお仕事をしていたり、小さいお子さんのいるママだったり、介護をしている方もいます。

クライアントと直接契約をしている場合をのぞいて、基本的にはディレクターという指示や管理をしてくれる人がいて、複数のスタッフで案件をまわしていくケースが多いです。

病気や怪我などのアクシデントや旅行などの長期休暇があった場合も、代わってもらうことだってできます。

そうはいっても周りにＳＮＳサポート副業をしている人もいないし、イメージがまったくわかないという方もいると思います。

実際にどんなふうにお仕事をしているのか、すでにＳＮＳサポート副業を実践している方の声を紹介しますね。広島県にお住まいの50代女性の実例です。

「離婚後、コロナ禍で蕎麦屋のアルバイトのシフトが激減、ハンドメイドのアクセサリーは頑張っても月5万円止まりで、どうやって食べていこう……と思っていました。

でも、ＳＮＳサポート副業を学び、実践してみて、今ではライターとして生活できています。

しかも、文章を書く仕事って子どもの頃からの夢でした。

メルマガやランディングページの文章を書いたり、占い鑑定の文章、X（Twitter）の投稿や、人気YouTubeのサムネイルのテキストやタイトル、概要欄のライティング、キャラ設定、教材用の文章、書籍のベースとなる原稿を書くなど面白い案件にたくさん関わらせてもらっています。

時間にも場所にも人間関係にも縛られず、スマホかパソコンがあればできるお仕事で、憧れの「パソコンだけ持ってカフェでお仕事♡」が実現しています。

フリーランスでありながら、頼れるチームメンバーもいて最高のお仕事だと感じています」

この人のように、アルバイトをしていた主婦の人でも、得意なことや好きなことでお仕事につながっている人がたくさんいます。

得意なことがない？

何十年も生きてきた人で得意なことがない人なんていません！　断言します。

自分の得意なことって、頑張らないでできてしまうことなので、自分で認識するのが難しいものです。

安心してください。この本を読み進めることで、あなたの得意なことやできることが見つかるように構成されています。

ワクワクしながらページをめくってくださいね！

第1章

パソコンが苦手?
得意なことがない?
そんなあなたにもできる!

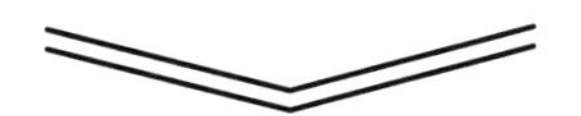

「SNSサポート副業」には魅力ある意外な仕事がいっぱい

3

自分の得意なことがわからないあなたへ

私のSNSサポート副業スクールを受講する人は、「自分の得意なことがわかりません」「私にもできるかどうか不安です」という方がとても多くいらっしゃいます。

みなさんここまでの人生で、これまで生活を送ってきているわけですし、会社勤めをしたり、アルバイトをしたりと、絶対何らかのことをして生きてきているはずです。

だから本当に何にもできない人なんていません！

実際、詳しくお話を聞いてみると、本当にみなさん多彩な経験を持っていて、他の人にはない強みを持っています。

ここで、簡単なワークをしてみましょう。

ワーク1 この中であなたができることを書き出してください

メール返信、アカウント作成、ブログ投稿、請求書の作成、エクセルデータ入力、画像作成、文章作成、入出金管理、会場予約、スケジュール管理、スケジュールリマインド（日程が迫ってきたときに連絡を入れる）、プレゼン資料の作成、書類作成、会場との交渉、飛行機の予約、旅程スケジュール作成、新幹線予約、ホテル予約、保険の申請、レシートを貼る、会計ソフトの入力、梱包、発送、在庫管理、発注、日程調整、複数人への連絡、人の悩みを聞いてあげる、人におすすめする、写真を撮る、SNSの投稿、SNSのコメント返信、LINEの返信、イベント参加のレポートを書く、イベントの受付をする、アイデアを出す、会議の司会をする、イベントの司会をする、Zoomのオペレーション（ブレイクアウトルームや参加者の承認・名前を変えるなど）、商品の説明をする、電話をかける、調べ物をする、YouTubeを見ながら文字起こしをする、会議の議事録をつける、部屋を片付ける、書類を整理する、掃除する、洗濯物を畳んでしまう、料理をつくる、小さい子どもの相手をするいかがですか？

たとえば旅行が好きな人だったら、旅行先の情報を調べたり、ホテルを予約したり、飛行機のチケットを取ることなんて、今まで何度もしてきたことだと思います。

ＬＩＮＥの返信や電話をかけることは、日常的にやっていることではないでしょうか。

実はそれがお仕事になったりするのです。

ほら、**意外とハードルが低い**と思いませんか？

もう1つワークをしてみましょう。

ワーク 2 **あなたは家族や友人、同僚などからこんなことを言われたことはありませんか？**

- センスがいいね
- おすすめ上手だね
- ○○さんと話していると安心する

- 同じことずっと続けられるなんてすごい！
- いろんなことを知っているね

・アイデアマンだね
・交渉上手だね
・友達が多いね
・人と人をつなぐのが上手いね
・話が上手だね
・字が綺麗だね
・まとめるのが上手だね
・○○さんの机は綺麗だね
・○○さんがいると場が明るくなるね

・気遣いが素晴らしいね
・○○さんの文章はわかりやすいね
・教えるの上手だね
・段取り上手だね
・いつもとても正確だね
・器用になんでもできるね
・仕事が早いね
・ITに強いなんてかっこいいね

そう、**人から言われることはあなたの「強み」**です。

得意なことこそ、苦もなくできてしまうことなので、意識していなかったかもしれませんが、他人からみたら十分「すごいこと」なのです。

そして、**あなたができること（やってみたらできそうなこと）と、あなたが得意なことが組み合わさったところが、ＳＮＳサポート副業としてお仕事になりやすい**ところになります。

まだ疑心暗鬼ですか？

安心してください。
次ページからは、さらに具体的にそれぞれのお仕事について解説していきますので、**「私にもできるかも！」がきっと見つかります。**

そしてできれば、できることの一歩先、「この仕事ならやってみたい」と思えるものが見つかったら最高ですね！

細かい作業が好き、継続が得意な人はルーティーンワークでできる職種がおすすめ

～SNS投稿代行・SNS分析・経理・事務サポート～

- 単純作業ならずっとできる
- 決まったことを正確にこなすのが好き
- 淡々と集中してできる仕事が好き

そんな人にはルーティンワークでできるお仕事がおすすめです。

SNS投稿代行

クライアントの発信を元に、他の媒体へ体裁を調整して投稿する仕事。SNS投稿代行の詳細については、先ほどの「小学生でもできる？　SNSの投稿代行とは？」でお伝え

したので割愛しますが、毎日コツコツ作業をしたり、週末にまとめて予約投稿をしたり、テンプレートが決まった仕事を継続することができる人に、非常に向いている仕事と言えます。

SNS分析

クライアントが運用している各種SNSの数値管理を行います。InstagramやYouTube、X、TikTokなど各種SNSにはアクセス数や、登録者数、リアクションの数などが見られるインサイト機能がついています。その中から必要な数字を表計算ソフトに転記し、どんな投稿がアクセスされやすいのか、フォローされやすいのかを分析し、レポートにまとめ、提案を行います。

経理

経理の仕事も多岐にわたります。簿記や会計士などの資格がなくても可能な軽作業も多く存在します。

・レシート貼り・会計ソフトへの入力

クライアントから送られてくるレシートを整理して貼り付けていき、日付や数字を会計ソフトに入力するという仕事があります。確定申告や決算は税理士が行いますので、そのための前準備となる作業です。時間のあるときにまとめて作業ができますので、土日休日だけの副業としやすい仕事でもあります。

・入出金管理

クライアントの銀行口座のログイン情報を預かり、クライアントの顧客からの入出金を管理します。発行した請求書の金額が入金確認や、クライアントが発注したものの振り込みをすることもあります。正確性やモラルが問われる仕事ですが、信頼を積み重ねていくことによって、リピートや紹介がおきやすく、安定的な収入につながりやすい仕事です。

・決済管理

クライアントのサービスでカード決済やpaypal、電子マネー等での決済が発生する場合の管理を行います。キャンセルや返金対応、決済会社とのやりとりが発生する場合もあります。会社員で経理担当をしていた人などは、即戦力となりやすい仕事です。

事務サポート

SNSサポートビジネスの中で、最も名前のつきにくい、細かな仕事全般を事務サポートとしてまとめました。あまりにも細かすぎるので、ここでは箇条書きで紹介します。

メール返信／問い合わせ対応／アカウント作成／請求書の作成／エクセルデータ入力／会場予約／スケジュール管理／スケジュールリマインド（日程が迫ってきたときに連絡を入れる）／書類作成／会場との交渉／飛行機の予約／旅程スケジュール作成／新幹線予約／ホテル予約／保険の申請／日程調整／複数人への連絡／Zoomのオペレーション（ブレイクアウトルーム【ミーティングのメンバーを複数に分けて、グループごとに会話やブレーンストーミングをする個別ルーム】の作成や参加者の承認・名前を変えるなど）／会議の議事録をつける／書類を整理する／備品の発注／郵送物の開封／紙資料のスキャン／名刺の管理／メルマガやLINEの配信設定／LINEリッチメニュー（公式LINEの下部に出てくるメニュー画像）の設定／システム等の登録／請求書等の送付／贈答品の選定／お礼状の送付／スタッフへの事務連絡／イベント等のサポート／カレンダーの入力／日程変更等の調整／資料の準備／献本等の手配／グッズの発注／アカウントやパスワードの管理

などなど、クライアントから依頼される諸々のサポート業務全般を行います。

「秘書」のようなもので、自分でできることは自分で行う場合もありますし、できないことはできる人に依頼して遂行します。

気配り上手な人や、マルチタスクができる人に向いています。

主婦業をしてきたような人は、毎日の献立を考えながら食材を購入し、料理をして片付けて、合間に洗濯して干してしまって、子どもの面倒を見て、部屋を片付けて掃除して、諸々の支払いをして……。と、すでに似たようなことをしてきていると思いますので、さほど違和感なく取り組める仕事だと言えます。

話が上手だねと言われたり人からよく相談を受ける人はコミュニケーション能力を活かす仕事がおすすめ

～顧客サポート・コミュニティ運営・営業のお仕事～

- 人と話すことが好き
- よく人から相談を受ける
- 自分が良いと思ったものを紹介するのが好き

そんな人には顧客サポートや営業のお仕事が向いています。

顧客サポート

顧客サポートの仕事には、文章でお客様とやりとりをしたり、オンラインや対面で直接お客様と話をする仕事があります。たとえば、FacebookグループやＬＩＮＥグループなどで、お客様と直接やりとりをしながら問題を解決したり、励ましたり、進捗を確認します。

コミュニティ運営

オンラインサロンやオンライン講座では、運営サポートをするスタッフが必要不可欠です。お客様の質問に答えたり、イベントを企画してお知らせしたり、イベント当日に進行したり、コミュニティのグループやＬＩＮＥを管理する業務があります。

営業

クライアントのセミナーやメルマガ等から個別相談につなげ、見込み客とオンラインもしくは対面でお話をして、バックエンドコンテンツ（講座などの高額商品）を契約してもらうことが営業の仕事です。自分の好きなものを紹介するのが得意な人にとっては、とても向いている仕事の1つと言えるでしょう。営業の仕事は成果報酬のケースが多いので、契約数が多ければ多いほど収入が増えていきます。

細かい作業が好き・単純作業が苦にならない人は手先の器用さを活かす仕事がおすすめ

〜商品の梱包・発送・在庫管理のお仕事〜

- 細かい作業や軽作業が得意
- 無心で単純作業ができる
- デスクワークよりも手先や体を動かす作業が好き

そんな人には商品の梱包発送のお仕事が向いています。

商品の梱包

クライアントが販売しているグッズや書籍の梱包を行います。梱包資材を選んで発注したり、緩衝材を選んだり、ラッピングをしたり、中にメッセージカードを同梱したりなど細やかな対応が求められます。受け取った人が喜ぶような梱包を考えるのが好きな人や、細かな作業が得意な人に向いています。

商品の発送

梱包した商品を発送します。発送する内容物によって、どの配送方法が良いのかを検討し、コストや配送確認が取れるか、保険はついているのかなど検討をして発送方法を選びます。発送時に宛名ラベルを印刷したり、配送業社に宛名のリストを送付したり、集荷にきてもらったりなどの手配をすることもあります。

在庫管理

オンラインショップなど複数の商品を扱っている場合は、その在庫を管理します。ショッピングカートのシステムを使っている場合は、表示されている在庫数と実際に手元にある商品の数があっているかを確認したり、破損やキャンセルなどで戻ってきたものを確認したりします。ときには特典プレゼントとして使用するなど細かい対応も発生しますので、柔軟な対応が求められます。

「センスがいい！」「ユニークだね！」と言われる人はクリエイティブな発想を活かせる職種がおすすめ

〜ライター・デザイナー・企画のお仕事〜

- 学生のとき、読書感想文で賞をもらった
- 本が大好きでたくさんの文章を読んできた
- ブログを書いたり、レポートを書くのが苦じゃない

そんな人にはライターのお仕事が向いています。

ライターと一言でいっても、その業務内容にはさまざまな種類があります。ライターは本当に汎用性の高い仕事なので、無限にあるといっても過言ではないのですが、ここでは代表的な業務内容についてお伝えしていきます。

ＳＮＳ投稿のリライト（編集）

既存のコンテンツや情報をＳＮＳ向けに再構築・再編集する仕事です。長いブログ記事やクライアントが出している書籍の内容をＳＮＳの文字数制限に合わせて短縮したり、YouTubeやVoicyなどを、文字起こしして媒体に合わせて編集します。

シナリオライター

一般的には、映画、テレビ、ゲーム、ラジオなどの物語やプロットを書く人を指します。ＳＮＳビジネスの文脈では、Youtubeの動画やTikTok・Instagramのリールなどショート動画のシナリオをつくるという仕事があります。

コピーライター

一般的に、広告やプロモーションの文案を考える専門家のことを指します。ＳＮＳにおいては、広告コピーだけでなく、通常の投稿やストーリー（ストーリーズ　24時間限定で画像・動画を投稿する機能）のキャッチフレーズ、ヘッダー、説明文なども手がけることが多いです。Youtubeのサムネイルやタイトル、Instagramのカルーセル投稿（1回の投稿で最大10枚の写真〈画像〉を投稿できる機能）など、13文字以内（人間が一度に知覚できる最大限の文字数）でクリックをしてもらいやすい文章をつくることができる人には、多くの依頼が集中します。

インタビュアー

人物や専門家を対象にインタビューを実施し、その内容を記事にするお仕事です。企業サイトやリクルート（人材募集）サイト、ポータルサイトなどでインタビュー記事を見かけることがあると思います。現場に訪問して撮影も込みで依頼されるケースもありますし、近年ではオンラインだけで完結させる場合もあります。

セールスライター

商品やサービスを売ることを目的とした文書を作成するお仕事です。ＳＮＳでの広告キャンペーンやプロモーションをする際に、効果的なセールスコピーを考える役割を持ちます。商品を販売するランディングページなどは、文章によって大きく売上が変わることから、売上を上げることのできるセールスライターの報酬は高価格になることもあります。

メルマガライター

メルマガ（メールマガジン）とは、定期的に配信される電子メールのニュースレターのことを指します。メルマガライターは、これらのニュースレターの内容を作成する専門家です。メルマガは、企業や団体、個人がフォロワーや顧客に情報を提供するための手段として広く使用されていて、顧客のファン化に貢献します。

コンテンツライター

Webサイトやブログ、SNSなどのオンラインメディア向けに記事や投稿を作成するライターをコンテンツライターと言います。SEO（検索エンジン最適化）の知識が求められることもあります。

ゴーストライター

他の人の名前で書かれる文章や本を執筆するライター。有名人の自伝やビジネス書など、ゴーストライターが背後で筆をとることがよくあります。経営者やインフルエンサーにインタビューして、音声から文章を起こしたり、著者が手を入れる前の叩き台として文章をつくることもあります。

PRライター

TVや雑誌などマスメディアに情報を発信するPR（プレスリリース）記事を作成する仕事です。PRスタンドを使って記事を配信することで、一度の配信で数十から数万の媒体にリーチすることができます。いかにメディアに取り上げられやすい記事を書けるがPRライターの腕の見せ所です。

編集者

自分ですべての文章を書くのではなく、ライターからあがってきた文章やコンテンツの内容、構造、文法などを校正、修正する仕事です。SNSの記事やブログ投稿、広告コンテンツなどを最終的に読みやすく、魅力的に整える役割を果たします。

・学生のときに描いた絵が表彰された
・「センスがいいね」とよく言われる
・アプリなどでつくったデザインが褒められる

そんな人にはデザインのお仕事が向いています。

ある程度のスキルが求められるWebデザイナーや、職業デザイナーだけではなく、投稿や小冊子など、そこまでデザインスキルを求められない仕事もありますので、現段階ではスキルがないと感じている人も、ぜひ参考にしてみてください。

Instagramの投稿画像作成

Instagramのカルーセル投稿の画像作成や、フォローや保存をお願いする画像などの制作を行います。Canvaなど無料のアプリでも作成可能なので、デザイン初心者であっても即お仕事になる可能性があります。かなりハードルが低いと言えるでしょう。

ランディングページの作成

ライターからあがってきた原稿を、1枚の長いセールスページ（ランディングページ）に仕上げるお仕事。イメージ画像を挿入したり、文字サイズや色の変更、枠線を入れて見やすくするなどの作業が発生します。ランディングページのような目的達成型のデザインは、ハイクオリティなデザインよりも、売上につながるデザインが求められます。

Youtubeのサムネイル作成

「詐欺サムネ」なんて言葉を聞いたことがありませんか？ YouTubeの動画にとって、サムネイル（動画をアップロードしたときに表示される小さな画像）でクリックしてもらうことが非常に重要なため、よりインパクトのあるサムネを作成することが求められます。技術力よりもインパクト重視。画像編集ソフトなどを使って、スマホでつくっている人もいます。

拡散画像・広告画像の作成

イベントやセミナー、キャンペーンなどを拡散してもらうための画像です。キャッチコピーや開催日時、登壇者を目立たせるデザインが求められます。画像次第で集客率やクリック率が変わってきます。Photoshopなど専門性の高いソフトを使用している人が多いです。

資料・スライド作成

プレゼンテーション用の資料や、プレゼント小冊子などを見栄えよく体裁を整える仕事です。PowerPointやKeynote、Googleスライド、Canvaなどで制作されることが多いです。セミナーで使うスライドなのか、ダウンロードして読み物とする小冊子なのかによって、文字サイズやスライド構成、データのサイズなどの考慮が必要です。

Webデザイン

Webサイトのデザインを行います。Photoshopのような画像編集ソフトだけではなく、HTML（Webページを作成するために開発されたWebプログラミング言語）やワードプレスといった知識もあることが望ましいため、経験と専門性が求められます。一人でデザインと制作まで行える人材でしたら、1案件で数十万円から数百万円の受注も可能になるお仕事です。

- ・アイデアがポンポンと思いつく
- ・面白いことを常に考えている
- ・お笑いやバラエティ番組が大好きでたくさん見てきた

そんな人には企画の仕事が向いています。

フォロワーを増やすにも、売上を上げるにも、コンテンツが面白くないと、ユーザーに見てもらうことができません。ライターやデザイナーも企画あってのコンテンツですので、一番の肝とも言えます。企画が求められるいくつかのシーンをご紹介します。

YouTubeの動画企画

YouTubeで配信する動画の企画を考えます。内容によって再生回数や登録者数に大きな影響を与えますので、たくさんに人に見てもらえるような面白い企画が必要です。

プロモーションの企画

商品を販売するための企画を考えます。ターゲットの分析やニーズ分析、競合他社をリサーチしながら、より購買につながるようなストーリーや内容を考える必要があります。

イベントの企画

オンラインやリアルで開催されるイベントの企画を行います。どうしたら集客できるのか、またイベントの目的が達成できるのかを戦略的に考えます。

SNSやYouTubeの企画職は、クリエイティブな発想とともに、分析や戦略的思考が求められる仕事です。成功するためには、ターゲットのニーズやトレンドを的確に捉え、継続的に高品質なコンテンツを供給することがキーとなります。

副業から本業へ年収1000万円以上稼げる仕事

～プログラマー・ディレクター・プロデューサーのお仕事～

SNSサポート副業は月額5万円、10万円というような収入を得ることももちろんできますが、副業ではなく本業として年収1000万円以上を稼ぐような仕事の仕方もあります。

ある程度の専門性や経験が必要とされるものの、高収入になり得る職業を3つ紹介します。

プログラマー

プログラマーとはシステムを設計・構築・運用する人のことを言います。システムにはショッピングカートや、ポータルサイトを更新していくようなブログシステム、オンライン予約のシステムなどが挙げられます。

FacebookやInstagram、AmazonもYouTubeもシステムだということを考えると、プログラマーが高収入であるということが理解できるのではないでしょうか。

ディレクター

ディレクターとはプロジェクトの進行管理やタスク管理をする人です。1つのプロジェクトには、ライター、デザイナー、事務スタッフなど、複数のスタッフが関わっていることが多くあります。

それら個々の作業スタッフをまとめ、指示を出して、クオリティチェックをしながら納品まで進行管理していくのがディレクターです。

ディレクターが向いているのは、オールマイティーにできる器用な人です。

本人は得意なものがないように感じるかもしれませんが、実は何でもだいたいできるというのはすごく貴重な強みですので、自信を持ってください。

プロデューサー

プロデューサーとは仕事を生み出す人のことです。

プロデューサーは、プロジェクトの計画、制作、実施を管理・監督する役職を指します。

彼らはウェブプロジェクトの全体的なビジョンを持ち、その成功を主導します。


クライアントがいる場合はクライアントにヒアリングしながら目的地を設計し、その目的を達成するための戦略を練っていきます。

また、複数の人材を配置し、方向性を決め、さまざまな判断をしながらクライアントの要望に応えるべくプロジェクトを進行していきます。

プロデューサーはリスクを負う代わりに成果報酬で仕事をすることも多く、そのプロジェクトの売上の3割4割などの報酬を得るので、大きなプロジェクトを扱える人ほど高収入になります。


ディレクターやプロデューサーは、未経験からいきなりなるケースはほとんどありません。大抵の場合はデザイナーであったり、ライターであったり、現場の仕事をこなしていき、経験を積んでいくうちに、スタッフに指示する立場に次第になっていく職業です。

実務色が強ければディレクターに、企画営業色が強ければプロデューサーに分岐していく傾向があります。

プログラマー・ディレクター・プロデューサーは、どれもある程度の経験と実績が必要な職種です。

副業から始めて本業になり、さらに収入を上げていきたいと思ったときの選択肢として、ぜひ頭の片隅に入れておいてください。

SNSサポート副業をする人に求められる資質とスキル

ではどんな人がSNSサポート副業に向いているのでしょうか。どんな資質やスキルが必要なのでしょうか。

私はこの5つだと考えます。

1 責任感
2 ポジティブコミュニケーション
3 経営者意識
4 思いやり
5 向上心

どうですか？　意外でしたか？

能力やスキルよりも、実はこれらの人間力のほうがずっと大事だったりします。知識やスキルは学べば身につきます。

実際に一緒に仕事をしていくにあたっては、人としての在り方や人間力のほうがはるかに優先順位が高いのです。

では、具体的にどういうことなのか、1つひとつ解説していきます。

1 責任感

SNSサポート副業を行う人間としての責任感は、自分が受け取った仕事を期限内に、約束されたクオリティで提供する意識を指します。

途中で投げ出したり、連絡が取れないなんてことが起こると、クライアントのビジネスに大きな穴を開けてしまうことになり、一度失った信用を回復することは難しいでしょう。

2 ポジティブコミュニケーション

SNSサポート副業では多くの場合、クライアントや他のスタッフとコミュニケーションを取る必要があります。

陽キャになる必要はありませんが、ポジティブなコミュニケーションを常に心がけることがプロジェクトの進行を促します。

逆にネガティブなコミュニケーションを繰り返すタイプの人は、次第にプロジェクトに呼ばれることがなくなり仕事が減っていきます。

3 経営者意識

SNSサポート副業は、実質的に、「自分自身のビジネス」を経営しているとも言えます。

そのため、経費の管理、時間の配分、新しい仕事の獲得など、経営的な判断が求められることが多くあります。言われた仕事を、ただこなしたり、仕事が与えられるのを待っている、というような会社員マインドのままでは継続的に仕事を得ていくことは難しいでしょう。

4 思いやり

クライアントの要望や悩みに対しての共感や、他のスタッフとの協力時に示す配慮など、思いやりは人間関係の構築や維持において重要な要素となります。

あなたがその仕事をやらなければ別の人がやることになるのです。

また、人の時間を無駄に奪うような仕事のやり方では、決して双方を幸せにしません。

思いやりを持って接することで、長期的な信頼関係を築くことができるでしょう。

5 向上心

SNSサポート副業は業界の変化や技術の進歩に対応するため、常に自らのスキルや知識を向上させる意欲が必要です。

SNS業界は頻繁に新しいものが誕生し、変化し、消えていく業界です。常に好奇心や、向上心を持つことで、新しいチャンスや可能性を広げることができます。

オンラインであっても、プロジェクト単位の関係性であっても、結局は人と人です。

一緒に働きたいと思われる人のところに仕事は集まってきますし、クレクレのテイカーからは人も仕事も離れていきます。

逆説的に、あなたが人として責任感や思いやりを持った人であれば、スキルや経験が現時点で少なかったとしても、お仕事になり得るということです。

臆することなくＳＮＳサポート副業の扉を開いてみてくださいね。

第2章

あなたの適性をどう活かしていく?

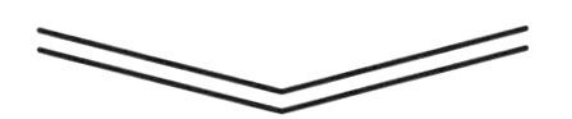

ズバリ!
適職を見つけよう!

「スキル診断」で自分の〝強み〟がわかる

ここからは、あなたの強みや向いている職種が明確にしていきます。

まずは、自分の「強み」がわかるスキル診断からスタートしましょう。

はじめに、過去に人に言われたことや、人と比較してどうかなど客観的な目線で設問に答えてみてくださいね。

Q1 ＳＮＳでの発信はどれくらい頻繁ですか？

(a) 毎日何度も苦もなくできる
(b) 週に数回、気分で
(c) 人と会うなど、特別なときだけ
(d) ほとんどしない
(e) ＳＮＳは人の発信を見るだけ

Q2 新しいアイデアやひらめきはすぐに行動に移しますか？

(a) いつもその場で行動に移す
(b) すぐ取り組むがすぐ飽きる
(c) 周りを巻き込んで取り組む
(d) よく計画を立ててから実行する
(e) 熟考して満足して実行しない

Q3 チームでの仕事と一人での仕事、どちらが得意ですか？

(a) チームのみんなと一緒にやる仕事
(b) 自由にできる一人での仕事
(c) 協力し合って行うチームでの仕事
(d) ルールに従って行う一人での仕事
(e) 静かに、研究したり学びながらの仕事

Q4　失敗したときの対応は？

(a) すぐに次のアクションを考える
(b) しばらく落ち込んでゆっくり考え直す
(c) 他の人の意見やアドバイスを求める
(d) ルールや手順を再確認する
(e) 綿密に原因を調査する

◇結果

主にaを選んだあなたは↓表に出るリーダー
主にbを選んだあなたは↓ひらめきの自由人
主にcを選んだあなたは↓現実的な社交家
主にdを選んだあなたは↓きちんとした実務家
主にeを選んだあなたは↓好奇心旺盛な研究者

もっと詳しい診断を受けたい人はこちらから受けられます
（100問10分程度）
http://enisha.jp/ai_shindan/

○スキルタイプ診断結果

いかがでしょう。なお、以下は、それぞれのスキルタイプを紹介しておりますので、ご覧ください。

表に出るリーダー

表に出るリーダータイプのあなたは、自分ビジネスや起業家、インフルエンサーなど顔出しして行うビジネスに向いています。陽キャで仲間意識が強く、向上心も強いです。計画を立てることや、事務など細かいことが苦手なので得意な人に任せましょう。

ひらめきの自由人

ひらめきの自由人であるあなたは、今ここを楽しむ自由なタイプ。瞬発力や発想力がピカイチ。心地良さや美味しさを重視し、美しいものを好みます。文章やデザインのセンスに長けています。落ち着いた場所で没頭して作業ができるような仕事が向いています。

現実的な社交家

現実的な社交家であるあなたは、コミュニケーション能力に長けています。そつなく気を配ることができ、人をつなぐのも得意です。パーティーや人が多いところで場を回し、その真価を発揮します。一方、非常に現実的な側面もあり、コツコツと実直に行動を積み上げ成果を出していくことも得意です。コミュ力と堅実さで営業や経営者が向いています。

きちんとした実務家

きちんとした実務家であるあなたは、ルールに則って物事を遂行することに長けています。モラルがあり品行方正で正しくあることを重視します。経理や法務など数値や正確さが求められる仕事に向いています。他の人が苦手とする、ルーティンワークや細かくて量が多い仕事も淡々とこなすことができるため、チームにおいてはなくてはならない存在です。

好奇心旺盛な研究者

好奇心旺盛な研究者であるあなたは、学ぶことがとても好きです。学び、研究し、まとめ上げることに喜びを感じます。知識を積み重ね、忍耐強くコツコツと分析検証していくことができるため、テキストやコンテンツ作成に向いています。たくさんの人がいる場所や、協調性を求められる場所は苦手なので、営業や表に出る仕事は他の人に任せたほうが良いでしょう。

やる気が出る働き方が一目でわかる「エネルギータイプ診断」

次はあなたが何によってやる気が出るのか、エネルギーが湧くのかがわかる診断です。

向いている仕事であっても、エネルギーが湧きにくい働き方をしていると、やる気もおきず、成果も上がりません。

そこで、次にあげる自分のエネルギータイプを知って、やる気が出る働き方を知りましょう。

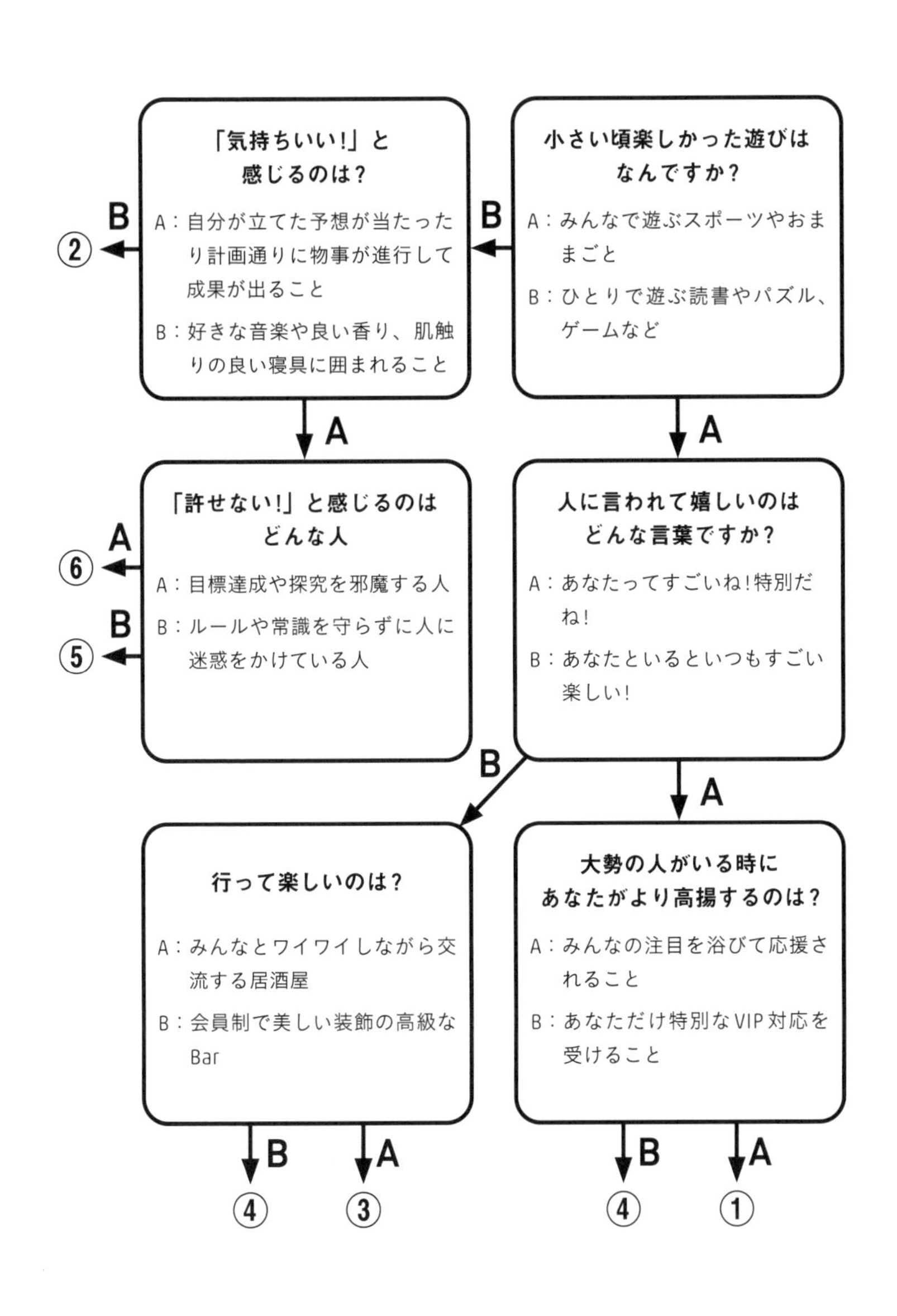
小さい頃楽しかった遊びはなんですか？
A：みんなで遊ぶスポーツやおままごと
B：ひとりで遊ぶ読書やパズル、ゲームなど
B
A
「気持ちいい！」と感じるのは？
A：自分が立てた予想が当たったり計画通りに物事が進行して成果が出ること
B：好きな音楽や良い香り、肌触りの良い寝具に囲まれること
B
②
A
「許せない！」と感じるのはどんな人
A：目標達成や探究を邪魔する人
B：ルールや常識を守らずに人に迷惑をかけている人
A
⑥
B
⑤
人に言われて嬉しいのはどんな言葉ですか？
A：あなたってすごいね！特別だね！
B：あなたといるといつもすごい楽しい！
B
A
行って楽しいのは？
A：みんなとワイワイしながら交流する居酒屋
B：会員制で美しい装飾の高級なBar
B
④
A
③
大勢の人がいる時にあなたがより高揚するのは？
A：みんなの注目を浴びて応援されること
B：あなただけ特別なVIP対応を受けること
B
④
A
①

〈エネルギータイプ診断結果〉

① ヒーローキング

② インスピレーション
チャイルド

③ コミュニケーション
ハンター

④ ラグジュアリー
ヴィーナス

⑤ ジャスティス
ガーディアン

⑥ ワイズシーカー

ヒーローキング（英雄王）
「国民よ我を褒め称えよ」

ヒーローキングが最もやる気を感じるのは、ズバリ「褒められること」です。目立ち、注目され、賞賛されることによってエネルギーが湧き、さらなる力を発揮します。ヒーローキングは賛辞や称賛を強く求める一方、外からの評価に非常に敏感で、批判や否定に対する弱さも持っています。

・ヒーローキングが向いている仕事タイプ

表に出る仕事・注目を集める仕事

インスピレーションチャイルド（直観の創造者）
「今、ここ、楽しい」

インスピレーションチャイルドのやる気が出るポイントは、新しい発見やアイデアのひらめき。創造的な活動や自由な環境で、自らの独特な感性にしたがって没頭できるときです。計画性が高くないので、経済的な部分や生計には苦労することも多いという側面があります。

・インスピレーションチャイルドに向いている仕事タイプ
没頭して創作できる仕事・ルールが細かく決まっていない仕事

コミュニケーションハンター（社交の狩人）
「友達の友達は皆友達」

コミュニケーションハンターのやる気が出るポイントは、人々との交流の中での新しい情報や刺激です。対人関係の中での発見や共感を通じてエネルギーを得ます。

コミュニケーションハンターは、社交的で誰とでも打ち解ける天性の営業マン。その一方で、深く考えずに行動することも多く、騙されやすい側面もあります。

・コミュニケーションハンターに向いている仕事タイプ
人と話す仕事・人と人をつなげる仕事

ラグジュアリーヴィーナス（高貴な女神）

「美しくなければ人じゃない」

ラグジュアリーヴィーナスがやる気の出るポイントは、「特別扱い」です。ホスピタリティに溢れた丁寧な接客や、ＶＩＰ対応に心が震えます。また、美と贅沢を深く追求することで活力を得ます。ラグジュアリーヴィーナスは、美容やファッションに関する知識やセンスが抜群である一方で、浪費家であるため経済面での管理が必要です。

・ラグジュアリーヴィーナスに向いている仕事タイプ

質が高く品が良い仕事・大衆ではなくてＶＩＰを相手にする仕事

ジャスティスガーディアン（正義の守護者）
「正しいことが正義」

ジャスティスガーディアンのやる気が出るポイントは規律や公平が守られる瞬間や、自らの行動によりトラブルから秩序を取り戻し、周りから感謝や労いの言葉をかけられるときです。ジャスティスガーディアンは、正義と誠実さを信条とするタイプで、ルールや法を尊重し、曲がったことや秩序を乱す人に怒りを感じます。イレギュラーな対応やフレキシブルな発想が求められることにはストレスを感じ、ルールのしっかりしたルーティンワークなどでは真価を発揮します。

- ジャスティスガーディアンに向いている仕事タイプ

ルーティーンワーク・ルールやフローが明確な仕事

ワイズシーカー（知の探求者）
「求めよ、さらば与えられん」

ワイズシーカーのやる気が出るポイントは、新しい知識を得ること、未知の領域に足を踏み入れるとき。彼らは知識の追求や学びの深化を通じて、心の喜びを感じます。また仮説をたて検証し、思惑通りに物事が達成された際に強い高揚感を得ます。

ワイズシーカーの知識は広範にわたり、特定の専門分野での深い知見を持ちますが、一般人には理解されにくいという側面もあります。社会的な名誉や地位よりも、真の知識や悟りを追求することに価値を見出す傾向があります。

- ワイズシーカーに向いている仕事タイプ

分析や研究をする仕事・調査してまとめる仕事

7

スキルタイプ×エネルギータイプであなたの適職が見えてくる！

ここまでいかがでしたでしょう。スキルタイプ診断ではあなたの「強み」が、エネルギータイプ診断ではあなたのやる気の「湧きどころ」を明らかにました。

次に、スキルタイプとエネルギータイプを掛け合わせることで、あなたに向いている働き方や、SNSサポート副業の職業をお伝えしていきましょう。

なお、これからお伝えする適職は、表舞台の人を裏側から支える職業ではないものも含まれています。しかし、この診断により、自分では意識していなかった適職があるということを知っていくことで、可能性が広がっていく意図でご紹介していきます。

また、自分にはないスキルや不得意なものがわかりますので、サポートをしてもらうのに適しているタイプの人も判明します。

ぜひどちらの目線でも読んでみてくださいね。

■表に出るリーダー　×　ヒーローキング

天性のカリスマタイプ。

表に出てとにかく話すことが向いています。

YouTubeやＬＩＶＥ、セミナー、舞台など多くの人が見ていれば見ているほどエネルギーが湧き、影響力が高まります。計画を立てたり細かな計算は苦手ですが、プロデュースやサポートをしてくれる人がいれば、ビジネスを拡大しやすいでしょう。

・適職

YouTuber、インフルエンサー、起業家、俳優、ミュージシャン

■表に出るリーダー　×　インスピレーションチャイルド

楽しいことが正義！　あなたの周りにはたくさんの人が集まってきます。思いついたら即行動でまだ誰もやったことがないことを、どんどん行動に移すことができます。

計画性がないこと、コストを度外視してしまうところがありますので、予算やスケジュール管理をしてくれるサポートスタッフが必須です。

・適職
インフルエンサー、起業家、アーティスト

■**表に出るリーダー × コミュニケーションハンター**

遠隔も近接もどちらも強いパワープレイヤー。

たくさんの人の前で話すことも、マンツーマンでクロージングをかけることも得意なので、営業力は随一のタイプです。

気づけばスケジュールが埋まり、限界を超えて動いてしまうので、休息を入れながら行動することを心がけましょう。

・適職
起業家、営業、イベンター

■表に出るリーダー　×　ラグジュアリーヴィーナス

我が道をいく王、女王。

あなたは自分の美意識と独自のブランド感覚で、人々を魅了します。

高級感とともに、新しいトレンドを切り開く能力を持つので、流行を先取りしたい人々がついてくるでしょう。

しかし、トレンドセッターとしてのプレッシャーや、高い品質を常に維持しなければならないという点で、精神的な負担が大きくなるのでリフレッシュの時間をつくることが重要です。

・適職

起業家、接客業、サロン経営

■表に出るリーダー　×　ジャスティスガーディアン

正義の盾として、常にフェアな立場で行動します。

人々の中での公平性や倫理観を持ち、社会の不正や不平等に対して声を上げることが得意なタイプ。組織やチーム内での信頼度は非常に高いです。

しかし、正義感が強すぎるあまりに自分を犠牲にしやすく、また、柔軟性に欠けることがあるため、人に厳しくなりがちです。

・適職
士業、協会理事、法務

■表に出るリーダー × ワイズシーカー

知識への探究心が旺盛なタイプ。

あなたの深い知識と洞察力は、多くの人々に信頼され、アドバイザーとしての役割を担うことが多いでしょう。

研究や学びを重視し、その情熱で人々を引き込む力を持っています。

しかしながら、あまりにも知識に没頭しすぎると、現実的なアクションが取りにくくなることがあります。

実践と学びのバランスを取りながら行動することが大切です。

・適職
コンサルタント、書籍の著者、プロデューサー

■ひらめきの自由人 × ヒーローキング

圧倒的な存在感と、瞬時のひらめきで場を盛り上げるタイプ。

どんな状況でも自分のスタイルを貫き、新しいアイデアで人々を魅了します。

リーダーシップも持ち合わせているため、先頭に立って道を切り開くことができるでしょう。

しかし、あまりにも独自の道を進みすぎると、周りとの連携が取りにくくなることも。

共感や協調性を持つことで、より大きな成果を出すことができます。

・適職
クリエイティブディレクター、アーティスト、イベントプロデューサー

■ひらめきの自由人 × インスピレーションチャイルド

この世界のすべてが新しいアイデアの原料。

好奇心旺盛で、常に新しいことを試みることが楽しい。

既存の枠にはまらず、独自の視点で物事を楽しむことが得意です。

ただ、計画性や持続力が足りないことがあるので、アイデアを形にするためには、しっかりとしたサポートが必要です。

・適職

アートディレクター、デザイナー、シナリオライター

■ひらめきの自由人 × コミュニケーションハンター

異なる考え方や価値観を持つ人々とのコミュニケーションが得意なタイプ。

異文化や異業種とのコラボレーションで新しいアイデアやプロジェクトを生み出します。

しかし、多くの人との関わりの中で自分を見失いやすいので、自分らしさを保ちつつ、

柔軟に交流することが大切です。

・適職

広報、プロデューサー、インタビュアー、イベンター

■ひらめきの自由人 × ラグジュアリーヴィーナス

美しいものや贅沢を愛する心と、ひらめきの才能を併せ持つタイプ。

高級感と独自性を兼ね備えたプロジェクトや製品を生み出す能力があります。

ただ、贅沢を追求しすぎるあまり現実を見失うことがあるので、バランス感覚を持つことが大切です。

実務家タイプなど堅実なスタッフと共に仕事をするのが良いでしょう。

・適職

デザイナー、商品企画、動画編集者

■ **ひらめきの自由人 × ジャスティスガーディアン**

ひらめきと正義感を持ち合わせたタイプ。

新しいアイデアやプロジェクトを通じて、社会の課題や問題解決を行うことに情熱を感じます。

フローの作成やマニュアルの作成などが得意です。

しかし、正義感が強すぎると全部自分で背負いこみ、独断で行動してしまう可能性があるので、他者の意見や視点も取り入れ、柔軟なコミュニケーションを取ることが重要です。

・適職

法務事務（契約書関連）・経理・教材制作・ルール策定

■ **ひらめきの自由人 × ワイズシーカー**

知識とひらめきを組み合わせて、独自の哲学や理論を築き上げることが得意なタイプ。

深い考察と新しい視点を持って、多くの人々を魅了します。

ただ、知識の深さにとらわれて行動が鈍くなることがあるので、アイデアを現実に落とし込むための実行力も大切です。

複雑なスキームやシステムを構築することができるため、一度仕組みが整うと、爆発的な利益を生み出せるタイプでもあります。

・適職
コンテンツ作成・分析・シナリオライター・プロデューサー

■現実的な社交家 × ヒーローキング

実践的で人々との関係を築くのが得意なあなたは、ヒーローキングのエネルギーと組み合わせることで、団体の中心として立ち、人々を励ます役割がぴったり。状況を的確に判断し、効果的なコミュニケーションを取ることで、集団を引っ張っていく力を持ちます。

しかし、過度な責任感から自身のメンタルを疲弊させることも。適切な休息とバランスを心がけましょう。

・適職
法人営業、起業家、イベントプロデューサー

■ 現実的な社交家 × インスピレーションチャイルド

この組み合わせは、現実感覚と直感的な閃きを併せ持つタイプ。社交的でありながらも、新しいアイデアや発想が豊富に湧き上がるのが特徴。社会との接触を通じて、多くの刺激やインスピレーションを得て、それを形にすることが得意です。一方、夢中になりすぎると周囲とのコミュニケーションを忘れることも。バランスを大切にしつつ、持ち前の直感力を活かしてください。

・適職
イベントディレクター、商品企画、システム企画

■ 現実的な社交家 × コミュニケーションハンター

この組み合わせは、コミュニケーション能力が非常に高いタイプ。

どんな人ともすぐに打ち解け、関係を構築するのが得意です。

また、現実的な視点で物事を進める能力も持っており、相手のニーズを的確に捉えて提案できるのが特長です。

熟考せずに行動するところがあるため、堅実な実務家タイプと共に仕事をすることが望ましいです。

・適職
法人営業、コミュニティ運営、顧客営業、広報、セミナー講師

■現実的な社交家 × ラグジュアリーヴィーナス
魅力的で洗練された現実的な社交家の姿が見える組み合わせ。

自分の魅力を存分に活かし、人々を惹きつける能力が高いです。

高級感や品の良さを大切にする一方で、現実的な視点で事を進めるバランス感覚も持ち合わせています。

付き合いに重きを置くため、時間や資金がかさみがち。

予算管理や利益率計算をしてくれるパートナーと共に仕事をしましょう。

・適職

広報、イベントプロデューサー、企画、法人営業、サロン経営

■現実的な社交家　×　ジャスティスガーディアン

現実的な社交家とジャスティスガーディアンの組み合わせは、実践的な社交スキルと社会的な公正さを兼ね備えた特別なタイプです。

人との関係構築が得意で、状況を的確に判断し、公正な行動を重視します。

ジャスティスガーディアンのエネルギーは公平さや正義を追求することにフォーカスし、社交家の特性と組み合わせることで、集団やコミュニティの中でリーダーシップを発揮し、公正なルールや価値観を維持・促進する役割が適しています。

・適職

コミュニティ運営、ディレクター、法務・経理等の相談員

■**現実的な社交家　×　ワイズシーカー**

現実的な社交家とワイズシーカーの組み合わせは、実践的な社交スキルと深い知識・洞察力を持つ特別な組み合わせです。

人との関係構築が得意で、同時に知識の獲得と共有に情熱を燃やします。

この組み合わせは、教育分野や専門的なコミュニティでのリーダーシップ、知識を活かす職種に向いています。

ただし、過度な社交活動や情報収集に疲れやすい一面もあるため、自己ケアとバランスを大切にしましょう。

・適職

講師、ライター、インタビュアー、スクール運営

■**きちんとした実務家×ヒーローキング**

実務に明るいあなたは、ヒーローキングのエネルギーとの組み合わせにより、リーダーシップを発揮するポジションに最適です。

組織やチームの方向性を決定し、具体的なタスクを効率的に割り当て、遂行する能力を持っています。

エネルギーは安定的で、チームをまとめ上げる力強さを持ちます。

しかし、過度な責任感から自身を過労することも。適切な休息とチームとのコミュニケーションを大切にしましょう。

- 適職

経営者、コミュニティ運営、SNS運用

■きちんとした実務家×インスピレーションチャイルド

実務のスキルとインスピレーションチャイルドのエネルギーが融合することで、創造的なタスクにも取り組むことができます。

新しいアイデアや斬新な手法を取り入れながら、実務を進めるのが得意です。

エネルギーは柔軟で、常に新しい視点や方法を取り入れることを楽しみます。

ただし、現実的な制約も念頭に置きつつ、バランスを保つことが大切です。

・適職

プロダクト開発、ディレクター、マーケティング、SNS企画、商品企画販売

■きちんとした実務家×コミュニケーションハンター

実務的なあなたがコミュニケーションハンターのエネルギーと組み合わせると、人々との関わりを中心としたタスクでの活躍が期待されます。

情報伝達や交渉、調整などの役割を効果的に果たします。

エネルギーは外向的で、多くの人々との連携を通じて成果を上げることができます。

しかし、情報の整理や優先順位の設定も忘れずに行いましょう。

・適職

営業、ディレクター、サポート講師

■きちんとした実務家×ラグジュアリーヴィーナス

実務能力に優れたあなたは、ラグジュアリーヴィーナスのエネルギーと組み合わせることで、上質で緻密なサービスや製品の開発・管理に適しています。

高い品質と正確性を求められる業界での活躍が期待されます。

エネルギーは上質で、細部にまでこだわる姿勢が求められます。

しかし、過度な完璧主義は避け、バランスを保つことが大切です。

・適職
マネージメント、プランナー、製品管理、Instagram運用

■きちんとした実務家 × ジャスティスガーディアン

実務的なスキルを持つあなたは、ジャスティスガーディアンのエネルギーと組み合わせると、公平で正確な判断を下す役職に向いています。

ルールや法律に基づいた正確な仕事遂行が得意です。

情報の整理や設計、ルーティーン業務に強く、チームからの信頼も絶大です。ただし、固定概念に縛られすぎず、柔軟性も持つことが大切です。

・適職
経理、法務、事務、在庫管理、梱包、発送、数値管理

■**きちんとした実務家×ワイズシーカー**

実務スキルが高いあなたは、ワイズシーカーのエネルギーと組み合わせると、知識を深めるための実務や研究を得意とします。

綿密な調査や情報整理が得意で、常に最適な方法を求めます。

エネルギーは探求的で、新しい方法や情報を取り入れる柔軟性があります。ただし、情報過多にならないよう、適切なフィルタリングが必要です。

・適職
研究開発、情報分析、顧客データ管理、コンテンツ作成、プロジェクトマネージャー

■**好奇心旺盛な研究者×ヒーローキング**

深い知識と新しい情報への渇望を持つあなたは、ヒーローキングのエネルギーと相まって、変化を求める組織の中で先導する役割に適しています。

調査や分析を通じて得られる洞察を共有し、チームや組織を新たな方向へと導くことが得意です。

ただし、一歩先を行くあまり、他者とのコミュニケーションが乏しくなることも。

適時、共有やフィードバックを心がけることが大切です。

・適職
コンテンツ制作、プロデューサー、分析、企画、戦略設計

■ **好奇心旺盛な研究者×インスピレーションチャイルド**

あなたの好奇心とインスピレーションチャイルドのエネルギーは、未知の領域への挑戦や新しいアイデアの創出に向いています。

学んだ知識を独自の視点で解釈し、独特の発想で新しい価値を生み出すことができます。

しかし、あまりにも前衛的な提案は理解されにくいことも。アイデアの具現化や実現性

を追求することも忘れずに。

・適職
クリエイティブディレクター、シナリオライター、アートディレクター、コンテンツ制作

■好奇心旺盛な研究者×コミュニケーションハンター

情報探求が得意なあなたは、コミュニケーションハンターのエネルギーと組み合わせることで、知識の共有や情報の拡散に長けています。

エネルギーは広がりを持ち、人々の中で情報や知識のリンク役として機能します。

しかし、情報過多になることで、必要な情報の選別が難しくなることも。重要なポイントを絞り込む能力も養いましょう。

・適職
インフルエンサー、セミナー講師、コンサルタント、セールスライター

■好奇心旺盛な研究者 × ラグジュアリーヴィーナス

探究心旺盛なあなたは、ラグジュアリーヴィーナスのエネルギーと組み合わせることで、美と知識を追求する専門家としてのポジションに適しています。

研究と高級感、美しさの組み合わせは、特定の分野での専門知識を求められる職種にマッチします。美容や健康、スピリチュアル分野などで力を発揮するでしょう。

しかし、あまりにも完璧を追求しすぎると、現実の実用性を見失うことも。バランス感覚を持つことが重要です。

- 適職

ディレクター、デザイナー、コンテンツ制作

■好奇心旺盛な研究者 × ジャスティスガーディアン

知識を深めるのが得意なあなたは、ジャスティスガーディアンのエネルギーと組み合わせると、公正や正義を追求する立場になります。

研究や情報収集を通じて、正義や社会的な問題解決に貢献する力を持ちます。

エネルギーは真摯で、知識を背景にして、公正や道徳を守る活動を展開します。しかし、理想と現実のギャップに挫折しやすく、冷静な判断が求められることも。

・適職
経理、法務、事務、プログラマー、情報の整理

■好奇心旺盛な研究者×ワイズシーカー

情報や知識に対する探究心を持つあなたは、ワイズシーカーのエネルギーと組み合わせることで、終わりのない探求の旅を続ける研究者としての道を歩むことができます。新しい知識や未知の領域を求める情熱が、さらに研究の深化を促します。ただし、あまりにも多くの情報を追い求めると、現実世界での成果が得にくくなります。目的意識を持ちつつ、探求心を維持することが求められます。

・適職
研究者、分析、コンテンツ制作、執筆、プログラマー

異なる背景を持つ人々が次々と成功！（具体的な事例）

あなたは、どんな結果が出ましたか？　仕事を探す際、ぜひ参考にしてください。

ここで、会社員や公務員、主婦やアルバイトからSNSサポート副業を始めたみなさんの、実際の具体的な事例と、その請求書を大公開！

どんな人がどんなふうにお仕事をして収入を得ているのか、リアルな声をご覧ください。

○リアルな声①50代男性Aさん

（Before）

薄物板金金型加工の町工場に勤務。資格も技術も実績もない中、自分ビジネスでの起業を考えるも違和感を持っていた。

（After）

SNSサポート副業のスクールを受講してTwitterの分析官に挙手。的確な分析提案と文章力を評価されて、現在は複数のTwitter分析やTwitter投稿代行の仕事を行っている。「会社から帰ってからぼーっとしていた時間で仕事ができていることがとても嬉しい」とのこと。会社員の収入の他に、副業で毎月5万円程度の収入を得ている。

○リアルな声②30代女性Mさん

〔Before〕
脳梗塞の後遺症による重度の身体障害があり、現在は在宅で事務のパートをしている。パソコンも障害により左手が使えないため、片手で使用している。

〔After〕
受講して積極的に仕事募集に挙手。TikTok分析の仕事を行う。また与えられた仕事以上の提案力が認められて、SNSコンサルティングやコミュニティ運営を任されるようになる。さらには動画編集も学び、現在は定期的な動画編集の仕事も発注され、パートタイムの仕事以外に5~10万円の収入をプラスで得ている。

○リアルな声③30代女性Iさん

（Before）

大企業の役員秘書として勤務。会社の在り方や働き方に疑問を持ち、退職を考えていた。

（After）

分析していく中で、そもそも秘書業務が強みではないことを自覚。コミュニケーションタイプとして認識できたことで、新しい働き方を見つけ会社を退職。営業としての能力が開花し、退職翌月から会社員時代の給与を超える収入を得た。

○リアルな声④40代女性Mさん

（Before）

エステサロン勤務。週5で働いて収入が15万円程度だった。さまざまな業務を行っているものの、自分の強みがわからなかった。

（After）

さまざまな業務ができる強みが開花して、ディレクターとして仕事を行う。現在では複数クライアントの事務サポートやディレクションを行い、オンラインやオフラインでのイベントスタッフや顧客管理、SNS投稿ディレクションなどさらに活躍の幅を広げつつ、エステサロンの仕事も並行している。エステサロンの収入とは別に毎月15万円程度の収入が継続的に入るようになった。

○リアルな声⑤40代女性Kさん

（Before）

国家公務員やパン屋さんなど職を転々としていたところ、一念発起してSNSビジネスで起業。自分のサービスがいくつか売れてきた時点で、向いていないと感じサービス提供を終了。無収入になったため、コンビニでのアルバイトを考えていた。

（After）

スカウトされて事務スタッフに。正確なスプレッドシート管理によって、どんどんと依頼される仕事の内容が増える。最初はページの制作や申し込みの管理や顧客対応メールを担当していたが、徐々にクレジットカード決済の管理や、スケジュール、プロジェクト管理を行うようになり、現在ではプロジェクトマネージャーとして50～80万円の収入を得ている。

○リアルな声⑥30代女性Mさん

（Before）

会社員をしていたが、妊娠出産に伴い退職。出産後も自営業の夫の仕事を手伝う程度で無収入だった。

夫が基本的に家にいない仕事だったため、小さい子どもを抱えてワンオペ育児をしていた。

（After）

夫の事業が失敗して夫婦で無収入に。二人の子どもを抱えて稼がなくてはいけないところで、土岐あいに声をかけられる。最初は画像やページ制作の仕事から始まり、SNS投稿代行、サムネイル作成などを担当。次第にスタッフに指示をしたりクオリティチェックをするディレクターの仕事も行うようになる。現在では複数のクライアントからの制作依頼を、スタッフを使いながら運用。月収80～120万円と安定的になり結婚前に購入したマンションのローンを完済。離婚も達成した。

いかがでしたか？

みなさん環境も、住んでいる場所も、年齢も性別もさまざまです。特別なスキルやコネがあったわけではありません。

できることと向いていることから少しずつお仕事を始めて、幅を広げたり数を増やしたりしながら、収入を増やしています。

人によって使える時間も欲しい収入も違います。

誰かと比べて自己卑下したり、嫉妬する必要なんてありません！

あなたがしたい働き方や、欲しい収入を明確にしてみてくださいね。
あなたの望む働き方や適職を明確にするため、次ページに書き出してみましょう

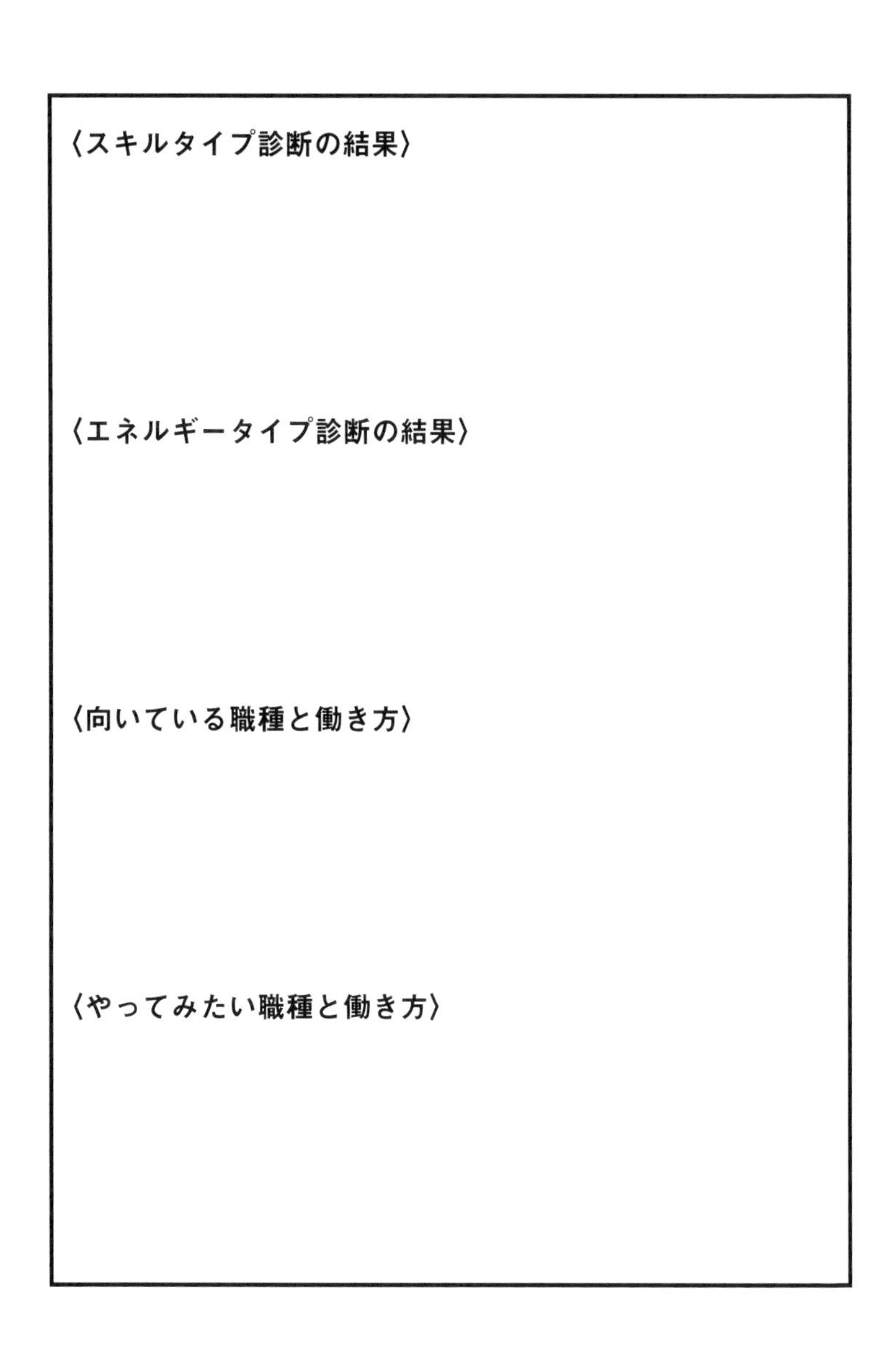

〈スキルタイプ診断の結果〉

〈エネルギータイプ診断の結果〉

〈向いている職種と働き方〉

〈やってみたい職種と働き方〉

第3章

このアプローチで仕事が途切れない!

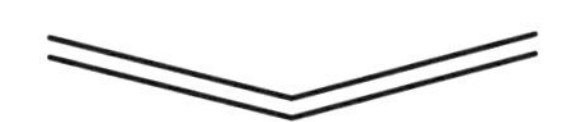

希望の職種に就く方法から実践的ノウハウまで全公開

フリーランスでやっていくために最低限必要なスキル

ここからは、希望の仕事に就く方法から、実践的なノウハウまでお伝えしていきます。まずは、何のお仕事をするにしても、フリーランスでやっていくために最低限必要な3つのスキルをご紹介しましょう。

○1 やりとりをするのに必要なスキル

- 通信ツール（LINE・メール・電話・Zoom）が使えること
- メールやメッセンジャーでの返信ができること

○2 請求書を出すにあたって必要なスキル

- 表ソフト（エクセル・ナンバーズ・スプレッドシート）への入力
- 表ソフトのデータをPDF形式（印刷可能な形式）に変換

「なーんだ、それなら楽勝！」と思った方も、「すでに難しい……」と心折れそうになった方もいるかもしれません。でも、結局必要なのは次のスキルです。

○3 わからないことを調べるスキル

・Googleなどでの検索

そう、わからなければ調べればいいのです。

検索が得意でないという人は、おそらく単語で検索しているので、なかなか目的の記事にたどり着けていないのではないでしょうか。

望んでいる検索結果を得るコツは、複数のキーワードや文章で検索することです。

たとえば、エクセルのデータをＰＤＦ形式に変換したいとき――。

〈ＮＧ検索キーワード〉

- エクセル
- ＰＤＦ

〈ＯＫ検索キーワード〉

- エクセルデータをＰＤＦに変換したいWindows
- スプレッドシートのデータをスマホでＰＤＦに変換するには

このように、より具体的に一連の文章で検索するほうが、欲しい結果が見つかりやすくなります。

10 知識を習得するもっとも効果的方法

わからないことがあったとき、新しい技術や知識を得たいと思ったときに効果的な方法、それは、「YouTube」です。

かつてはお金を払わないと知ることができなかったような、詳細でクオリティの高い解説動画がYouTubeにはたくさん上がっています。最新の情報やリアルタイムでのトレンドを知りたいときには特に有効ですので、あなたが知りたい知識をYouTubeで検索する癖をつけてみましょう。

検索方法はGoogleとまったく同じです。

単語よりも文章で探すと、より欲しい情報にたどり着きやすくなります。

再生回数が多い動画やチャンネル登録数が多い動画配信者のコンテンツは、それだけ支持されているものなので、最初に見るには良いでしょう。

もっと詳しい情報や追加の情報が欲しいときは「関連動画」に似たような内容を扱った動画が上がってきますので、あなたに合った、わかりやすいと感じる動画を選んでみてください。

ここでは私も普段から参考にしているYouTubeを紹介します。

〈おすすめYoutubeチャンネル〉

・米国のビジネスコンサルYUKI　https://www.youtube.com/@yukipedia
（SNSマーケティング　Instagram/chatGpt）
・mikimiki web スクール　https://www.youtube.com/@mikimikiweb
（WEBデザイン　photshop/canva/chatGpt）
・しゃべくり社長　https://www.youtube.com/@shabekuriCEO
（営業術／マーケティング術／トーク術／プレゼン術）

11 本腰を入れて学習したいときはこちらを活用!!

Youtubeでも十分な情報量がありますが、情報がバラバラになっているので、どこから学んだら良いかわからなくなるケースもあるでしょう。

そんなときは動画教材がおすすめです。

無料で学べる教材もありますし、有料で手厚いサポートがあるものもあります。

・ドットインストール（有料プランあり） https://dotinstall.com/

また、PhotoshopやIllustratorといったソフトウェアを出しているAdobe社の、公式のチュートリアルもおすすめです。

・Adobe photoshop チュートリアル
https://helpx.adobe.com/jp/photoshop/tutorials.html

12

Instagram投稿代行からオンラインコミュニティ運営管理、イベント運用まで、実践的なノウハウとツール例

ではここで、より具体的なお仕事の内容について、実際にはどんなことをするのか、詳しく解説していきます。

たくさんの職種がある中のほんの一部ではありますが、**具体的な手順を知ることで、よりイメージがつきやすくなる**と思います。

○ 1-1 Instagramの投稿代行

Instagramにはさまざまな投稿手段がありますが、代表的な3つの投稿方法についてお伝えします。

(1) カルーセル投稿
(2) リール投稿

（3）ストーリーズ投稿

（1）カルーセル投稿

カルーセル投稿は、1つの投稿の中で複数の写真や動画（最大10枚まで）を掲載することができる機能です。ユーザーは左右にスワイプすることで、次々と写真や動画を見ることができます。

写真画像を複数枚配置したり、画像上にテキストを載せてスライドすることで読ませる、紙芝居のような投稿が流行っています。写真画像投稿とテキスト画像投稿を組み合わせるなど、投稿者のセンスが問われます。

カルーセル投稿写真

（2）リール投稿

リールは、最大90秒までの短い動画を作成・共有する機能です。Instagram上のさまざまな編集機能を使用して、クリエイティブな動画を作成することができます。ＳＮＳ内での短い動画コンテンツの人気に応じて導入された機能で、TikTokと似た使い勝手を持っています。ホーム画面の上部や専用のリールタブから閲覧・作成ができます。

（3）ストーリーズ投稿

ストーリーズは、24時間のみ表示される写真や動画を投稿する機能です。ストーリーズ内では、テキストの追加、手書き、スタンプ、アンケートなどのインタラクティブな機能、またＡＲエフェクトなどを利用して投稿を装飾できます。ストーリーズはリアルタイム性が重視されるため、日常の一コマや、タイムリーな情報、短期的な告知などに使用されることが多いです。

ホーム画面の左上のカメラアイコン、またはプロフィール画像をタップすることで、ストーリーズ投稿画面に移動して投稿を作成できます。

この中でも、一番一般的なカルーセル投稿の投稿代行についてお伝えします。

○ 1-2 Instagram カルーセル投稿代行

①クライアントが元ネタとなる投稿を作成
②クライアントの記事から文章をタイトル＋8枚の文章構成に分ける
③タイトル＋文章ページ8枚＋誘導ページの画像を作成
④コメント欄の文章を作成＋タグの選定
⑤ディレクターもしくはクライアントに成果物を確認
⑥OKが出たら日時を指定して予約投稿

多くの場合はクライアントさんがブログやFacebook、YouTubeなどの媒体で投稿します。クライアントの投稿した記事や動画を元にInstagram用に文章を編集します。

10枚目：

フォローやLINE登録などへ誘導する画像。

写真だけの投稿＋誘導画像の場合もありますが、2023年現在のトレンドとしては文章を画像にしてスライドしていく形式のものが多いです。

上記は日常の投稿代行の一コマですが、最初に仕事を受ける際にはターゲット設定、目標設計、デザインテンプレートの制作、アカウントの設定などが必要です。

Instagram カルーセル投稿の基本構成は以下です

1枚目：

目を引くタイトルキャッチ。

13文字以内が望ましい。

2枚目–9枚目

文章やイラスト、画像を組み合わせ作成。200文字以内が望ましい。

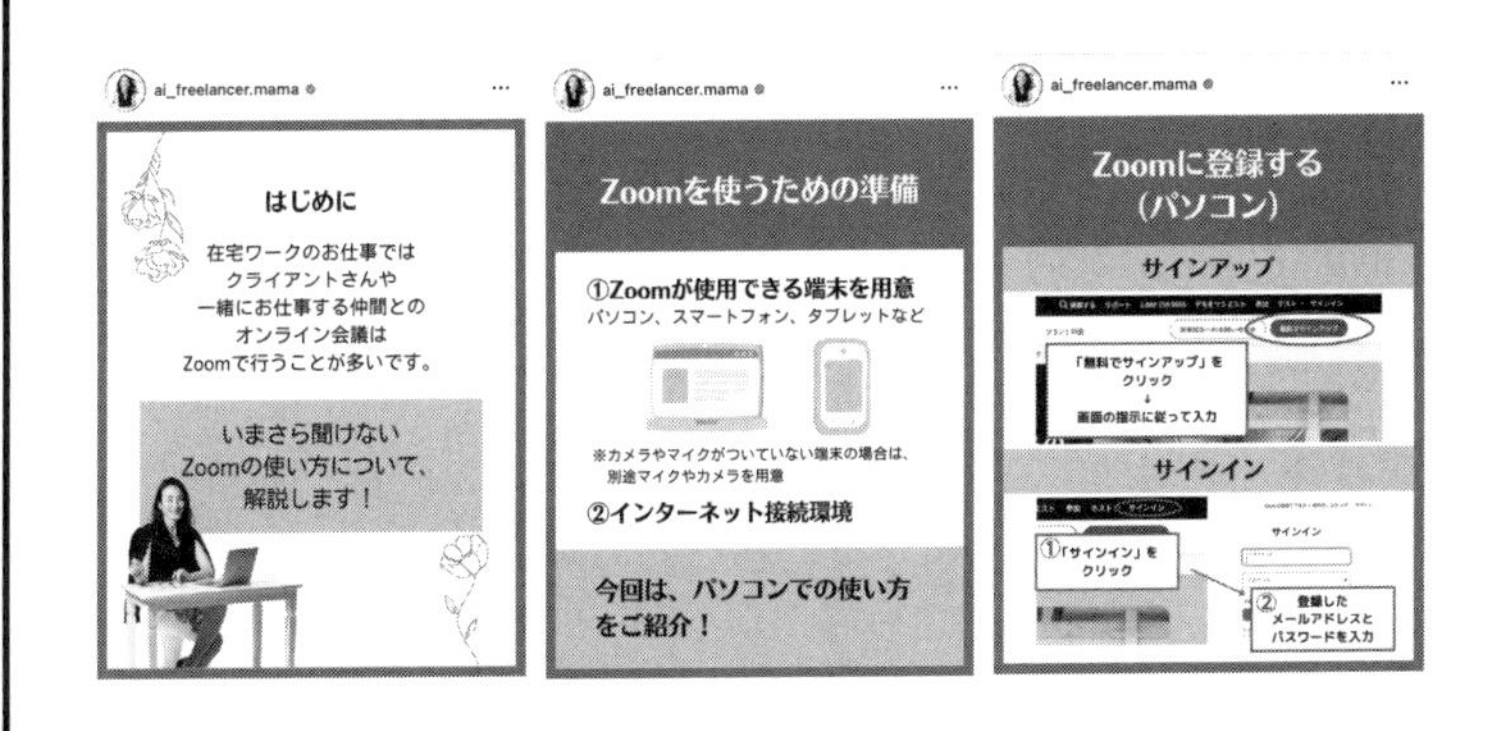

02 オンラインコミュニティ運営管理

オンラインコミュニティは、特定のニーズや興味を共有する人々が集まるオンライン上の場所として、近年ますますその重要性を増しています。

西野亮廣さんや堀江貴文さんのオンラインサロンが有名ですが、多いところだと数万人、少ないところだと数十人という規模のオンラインコミュニティがあります。

企業や著名人が主催するオンラインコミュニティの運営管理には、さまざまな仕事があり、ＳＮＳサポート副業が活躍する場所でもあります。

まずは、オンラインコミュニティの特徴や役割、形態などについて詳しく説明します。

(1)オンラインコミュニティの特徴

- 空間・時間の制約が少ないので、時間や場所を選ばずに参加や活動が可能
- 国や文化、年代を超えた多様な参加者が存在し、幅広い意見や知識の交換が可能
- 参加のハードルが低く、特定のスキルや背景を持たない人々も容易にアクセス可能

・動画配信や情報の交換はテキストやメディアとして保存されることが多いため、後から参照や再利用が可能

（2）役割・目的

・情報共有　特定のトピックや興味に基づき、知識や情報を共有することができます。
・サポート&助言　共通の問題や課題を持つ人々がサポートや助言を求めたり提供したりすることができます。
・仲間づくり　同じ興味や専門分野を持つ仲間ができます。
・趣味や娯楽　共通の趣味や興味を持つ人々が集まり、楽しむ場になります。

オンラインコミュニティの運営者は、コミュニティ運営を円滑にし、魅力的な企画や参加者同士の交流を促すことで、参加者の離脱を防いだり新規参加者の獲得のために行動していくことが求められます。

それでは、オンラインコミュニティの運営には具体的にどんな仕事があるかご紹介します。

①コミュニティの主催者との連絡・連携

コミュニティの主催者と打ち合わせややりとりを重ねながら、イベント企画や運営の相談をしていきます。コミュニティ主催者の意向を汲み取りながら運営フローを設定し、できる限り円滑に運営できるようにタスク管理やスケジュール管理、実務などをしていきます。

②コンテンツの作成と共有

コミュニティ主催者からの情報をコミュニティメンバーへ提供していきます。質問の回答やコミュニティが盛り上がるような運営側からの働きかけを行います。

③ルールやガイドラインの策定

コミュニティの投稿規定やルールを設定し、ルールを守るようにメンバーに促していきます。必要に応じてルールを更新・改訂をしたり、ルール違反をしている人への警告や退会通告などを行います。

④ メンバーの管理

新しいメンバーの承認や招待、退会者のシステムからの削除、不適切な行動を取るメンバーの警告や、場合によっては追放。費用の支払い確認や督促などを行います。

⑤ 投稿内容の管理

コミュニティ内のシステム上での投稿やイベント等を監視し、不適切なコメントやスパムを削除。投稿の方向性をガイドします。

⑥ 参加者の声の収集と反映

コミュニティメンバーからのフィードバックや提案を収集し、必要に応じてコミュニティの方針や機能を改善・追加をコミュニティ主催者と相談しながら行います。

⑦ イベントやキャンペーンの企画・実施

オンラインイベントやリアルイベントを企画し、申し込みの管理、入出金管理、当日のオペレーション、レポートやアーカイブのアップなどを行います。

⑧コミュニティの成長戦略の策定

新しいメンバーの獲得や、既存メンバーの継続率向上のための戦略を考えます。同じことをし続けていても参加者は飽きてしまいます。新しい企画を常に提案しながら、既存の参加者と新規の参加者の交流を促し、満足度を高めていく戦略をコミュニティ主催者と一緒に考え、実施していきます。

⑨データ分析

コミュニティの活動や継続率などを測定するためのデータ分析を行います。データに基づいて、改善点や新しい取り組みを検討していきます。新規の流入経路や媒体ごとの継続率、他商品の購入額、離脱率などさまざまな角度から検証していきます。

⑩テクニカルサポート

オンラインコミュニティを運営するシステムのトラブルシューティングや、メンバーからの技術的な問い合わせへの対応を行います。参加者の中にはＩＴリテラシーが低い人もいるので、簡単なスマホの操作からサポートするケースもあります。

○３ イベント運用

ＳＮＳ起業家がオンラインセミナーやリアルのイベントを開催する際には、たくさんのサポートが必要となります。オンラインオフラインに問わず、まずは一番最初に必要なことからお話しします。

◇イベントを行うときに最初に必要なもの

- 目的設計（イベント開催の目的は?）
- ターゲット設定（どんな人に来てもらいたいのか?）
- コンセプト設計（イベント開催のストーリー）

まず目的とターゲットを決めてから、その人たちに来てもらいやすいコンセプトやストーリー（印象に残る話の流れ）を設計します。目的設計はあくまで裏側で持つものであり表に出すのはコンセプトでありストーリーです。

この大前提を抑えた上でまずはオンラインイベントについて伝えしていきます。

①オンラインイベント

オンラインイベントの場合、Ｚｏｏｍで開催することが多いです。

Ｚｏｏｍにはミーティングとウェビナーの2つの異なるビデオ会議の形式が存在します。Ｚｏｏｍミーティングは、参加者同士がコミュニケーションを取ることができる対話形式で、Ｚｏｏｍウェビナーは、ホストとパネリストからほぼ一方的に発信する配信形式です。

Ｚｏｏｍミーティングは、双方向コミュニケーションを目的としたＷｅｂ会議機能です。参加者全員が同じ立場で発言することができ、ホストと参加者が同じ画面を共有してビデオ通話を行います。

Ｚｏｏｍウェビナーは、ホストが視聴者に対して情報を提供する一方通行のオンラインセミナー機能です。

ホストと指定されたパネリストがビデオ、オーディオ、画面を共有できるように設計されています。

視聴者は閲覧のみ許可されています。Ｚｏｏｍミーティングは、バーチャルな会議に向いています。

なお、Ｚｏｏｍビデオウェビナーは、「ステージと客席に分かれた講演を実施する」という利用シーンに向いています。

どちらの方式が目的に合っているかを検討した上で選択していきます。プランによって使用可能な人数が異なりますので、事前にプラン確認が必要です。開催時は申込者にＺｏｏｍリンクを送れば良いので、オペレーションが比較的簡単と言えます。

オンラインベントの開催が決まったら、申し込みのページ（ランディングページ）と申し込みフォームを作成し申込みを促します。入金確認が取れた時点でＺｏｏｍのリンクを自動返信に設定したり、3日前、1日前などのリマインドメールに掲載する等をしてお知らせしていきます。

オンラインイベントではアーカイブを残すか残さないかも検討事項の1つです。アーカイブを残すかどうか、アーカイブを残す場合のプライバシー配慮、アーカイブ閲覧の期日をあらかじめ決めておく必要があります。

オンラインイベント当日はパネリスト以外に、オペレータが最低一人はいたほうが必要です。

〈オペレータの仕事の例〉

- 参加者の承認
- 申込者と参加者の突け合わせ
- 参加者のミュート
- 参加者のお名前変更確認

・タイムキープ
・ブレイクアウトルーム（ミーティングの参加者を小さなグループ〈部屋〉に分ける）管理
・スクリーンショット撮影
・参加者へのチャットサポート

音声が聞こえないなど参加者からチャットで連絡が入る場合もあり、パネリストだけでは対応しきれないことがあります。柔軟に対応できるオペレータがいると、安心してオンラインイベントが遂行できます。

②リアルイベントの場合

リアルで開催するイベントの場合は、オンラインイベント以上に非常にたくさんのことを考える必要があります

リアルイベントでまず考えることはこの3つです。

・規模

・会場
・予算

主催者がどれだけの集客が可能か、どの程度売上が見込めるかをまず予想してイベントを設計します。

〈会場〉

予想集客人数と売上規模から会場を考えていきます。会場を抑えるのがまず重要で、**最近は大きい規模の会場が先々まで埋まっていてなかなか取れないという状況**です。大きい会場は1年前、300人規模なら半年前、中規模でも3か月前には抑える必要があります。主催者のイメージやイベントの内容に合わせて会場の方向性を決めていきます。

たとえば女性経営者のパーティーでキラキラした印象が必要ならば、ホテルのパーティールームや結婚式の二次会で使用するようなレストラン、イベントスペースをピックアップしていきます。

ライブイベントで音楽やトーク、踊りをメインとするならばＬＩＶＥハウスやクラブハウス、講演者がいてセミナーをするならば大きなセミナー会場や会議室を探します。

参加チケットが一体いくらで販売可能なのか、同様のイベントの際のチケット価格相場もチェックして、規模、金額にあたりをつけていきます。ある程度の企画を考えて必要なものを会場側と交渉していきます。

〈会場に確認すること〉

- プロジェクター
- スクリーン
- 窓の有無
- Wi-fi
- 控室
- 食事
- 準備、撤去時間
- 待機場所

・エレベーターの有無

会場との交渉も上手な人であれば大幅に価格を下げたり、オプションを無料でつけてもらえることもあります。ＳＮＳサポーターといえども、交渉技術で経費を大幅にカットすることができますので、非常に重要な仕事と言えます。会場をおさえたり、交渉する能力の高い人は秘書、事務スタッフとしてかなり重宝されますので磨いておくと良いスキルの1つです。

〈イベントスタッフ〉

リアルイベントの詳細を考えていく中で、ディレクターが必要なスタッフの要件と人数を割り出します。

以下、一般的にイベントに必要な項目をまとめましたので、ご参考にしてください。

イベントに必要な項目一覧

〈開催前〉	〈当日〉
企画	音響
運営	動画撮影
進行	静止画撮影
会場探し・交渉	オンライン配信
ビジュアルデザイン制作	装飾
ライティング	演出
LPページ作成	受付
申し込みフォーム作成	誘導
決済関連の確認	物販
メール配信	スタッフ管理
顧客メール対応	進行管理
物販等の発注	司会
物販管理	マイク回し
商品撮影	顧客対応
チラシ作成	クライアントサポート
ポスター作成	ヘアメイク
ゲスト交渉	衣装
ゲスト連絡	
協賛募集	二次会誘導
協賛管理	二次会運営
当日必要なものの発注	集金
席次表等の作成	受付
動画やスライド等の作成	二次会案内
参加者確認準備	

以上となりますが、リアルイベントではやることがたくさんありますので、たくさんのスタッフが動きます。複数の役割を横断して担当可能なサポートスタッフはとても重宝されます。

当日スタッフは100人規模で5～10名、300人規模で10～20名、500人規模で20～30名、1000人規模で50人程度ぐらいが目安ですが、企画内容によってはもっと多くのスタッフを必要とする場合もあります。

主催者コミュニティの人がボランティアスタッフとして入ることも多く、ボランティアスタッフを束ねて指示をできる人材が求められます。

イベントの企画運営や全体管理をする人もいれば、当日の受付係をする人など、上流工程から下流工程までさまざまな仕事があります。

ここまで、Instagram投稿代行、オンラインコミュニティ運営管理、イベント運用と3つの異なるSNSサポート副業の実例をみてきましたが、いかがでしたでしょうか？

たった3つだけのご紹介ですが、これだけでもかなりの仕事があることがわかっていただけたと思います。

全体を把握しながら企画設計、指示管理をしていく人もいれば、画像をつくったり会場を取ったりと、分担された役割の中で仕事をしていく人もいます。

非常に多彩で大量の仕事がありますので、あなたが向いている仕事、輝ける仕事がかなりずありますよ。

13 仕事はどこでもらえるの？

ここまで、ＳＮＳサポート副業には、さまざまな仕事があることをおかりいただけたかと思います。

そのうえで、このようなＳＮＳサポート副業の仕事を請けることができるのでしょうか？　気になりますよね？

ここからは一般的な方法から、20年間仕事を請け続け、発注し続けた私だからこそお伝えできる超実践的な方法まで、すべてお伝えしていきたいと思います。

○1 クラウドソーシングサイト

クラウドソーシングサイトとは、発注者と発注される側のいわゆるマッチングサイトのことです。企業や個人の発注者がプロジェクトのタスクを、インターネットを通じてスキルを持った人に外部委託するためのオンラインプラットフォームです。これにより、企業や個人は、特定のスキルや専門知識を持つフリーランサーや専門家に直接アクセスして、特定のタスクやプロジェクトを依頼することができます。

仕事を請ける側は、提示されているプロジェクトの内容や期間、納品形式、価格を確認して請けたい仕事に受注希望を出します。発注側は複数の受注希望者から実績やクオリティ、価格などを確認して発注する人を選びます。

〈代表的なクラウドソーシングサイト〉

（1）ランサーズ

https://www.lancers.jp/

２００8年に国内で初めてクラウドソーシングを始めた会社。登録企業40万社、登録者数１１０万人（２０２３年9月時点）。仕事の種類も豊富で、コンペ形式、プロジェクト形式、スカウト形式など受注の形も複数用意されている。

（2）クラウドワークス

https://crowdworks.jp/

登録企業78万社、登録者数480万人（2023年9月時点）。国内最大のクラウドソーシングサイト。ランサーズと同様の形式、システム手数料のため、両方に登録している人も多い。

（3）シュフティ

https://app.shufti.jp/

主婦層をターゲットにした在宅ワークが多い。手軽なデータ入力やアンケート回答など、専門スキルがなくてもできる仕事が多く登録されている。比較的システム手数料が安いが、全体的に少額案件が多い。

（4）ココナラ

https://coconala.com/

ココナラはスキルシェアサービスの一種だが、クラウドソーシングサイトと同じくプロジェクト形式での仕事の受発注も可能。ココナラでは仕事を受注する側が提供できるサービスを提示し、その条件で仕事を依頼したいという人がサービスに申し込む形で契約を結ぶ。

最も一般的なのがランサーズとクラウドワークスです。

プロジェクトも多いですが登録者も多いので、実績や価格競争になりやすいとも言えます。コンペ形式で修行するのも1つですが、採用されなければ当然収入は発生しないので、ある程度の成果物が納品できるスキルが求められます。

シュフティはデータ入力や出品代行のような、スキルを必要としない仕事が多く登録されています。単価は安いですがSNSサポート副業初心者には入りやすいと言えます。

基本的にクラウドソーシングサービスで関係性ができたクライアントとの仕事は、ずっと、そのクラウドソーシングサービスを通して仕事をしなくてはいけないというルールがあります。

システム利用料が5%〜20%かかりますので、その分の利益が少なくなることを前提で考える必要があります。

○2 求人サイト

フルリモート案件だけを取り扱う求人サイトも存在します。

企業との雇用契約や業務委託契約の形になりますが、ある程度決まった仕事を決まった時間や分量で請けることが向いていると感じる人には1つの選択肢と言えます。

ここまではいわゆる一般的な仕事の請け方です。

ここからは長年現場で培ってきた生の情報をお伝えします。

○3 まだまだある! 超実践的方法

(1) 友人・知人

意外かもしれませんが、実は最初に仕事を獲得しやすいのは、すでに関係性のある友人や知人の仕事を請けることです。

友人でサロンや店舗を経営している人や、農作物やアクセサリーをつくっている人と話をしてみて、SNS投稿代行などの仕事がないか聞いてみましょう。最初はトライアルとして安価で請負い、実績やお客様の声をつくります。

まだ、駆け出しであることを説明し、実績がない分低価格でサービス提供をするなど、友人・知人だからこそ交渉可能な範囲で始めてみましょう。

このとき、あらかじめ期間を区切っておくことをおすすめします。

あなたにスキルや実績がついた後は、同価格で請けることは難しくなりますので、あくまでトライアル価格、モニター価格として期間限定のサービス提供であることを明示しておきましょう。

(2) 行きつけのお店

あなたの通っている飲食店やネイルサロン、ヘアサロンはありませんか? そこのオーナーに何か手伝えることはないか聞いてみましょう。SNS投稿代行やメニュー書き、DMの発送やチラシの作成、公式LINEの発信など、あなたがお手伝いできる仕事があるかもしれません。

あなたの仕事に満足していただければ、またその店舗に通っているお客様を紹介してもらえる可能性もあります。積極的に話しかけて信頼関係を築いてみましょう。

（3）オンラインコミュニティ

近くにＳＮＳを投稿している人がまったくいない方は、積極的にオンライン上のコミュニティに参加してみましょう。

無料のものもあれば、月額２０００円〜１万円などで参加可能なオンラインコミュニティが多数存在します。

ＳＮＳ起業を目指す人が多いコミュニティであれば、ほぼ全員があなたの見込み客になります。

あなたがＳＮＳサポート副業で起業したいということが、コミュニティ内の人に認知されれば、そこから仕事につながるケースも多々発生するでしょう。

土岐あいプロフィール

土岐あい（ときあい）
株式会社エニシャ代表取締役
チームビジネスプロデューサー

経営者歴20年。WEB制作、SNS投稿代行、PR、出版プロモーション、イベント企画運営、スクール運営など様々な形で経営者・起業家をサポート。

チームビジネスプロフェッショナル養成スクール【TPS】主宰。
女性起業家支援協会【FEA】発起人。

起業2年で年商1.3億円の事業構築・1000人規模のイベント主催・500件以上のWeb制作・PRによるクライアントのメディア掲載実績多数。出版プロモーションに携わった書籍がAmazon本総合ランキング1位。起業コラボ案件複数。

プライベートはバツイチ再婚2児の母。好きなものは漫画とゴルフと猫。

抽選で サイン本＆徹底解説ブックレット

が、もらえる！ **出版記念キャンペーン** はこちら

こちらのQRコードから
特設LINEにご登録ください

X（旧 Twitter）
https://twitter.com/ai_LoveYourself

Instagram
https://www.instagram.com/ai_freelancer.mama

アメブロ
https://ameblo.jp/producer-x

Youtube：ときあいチャンネル
https://youtube.com/@tokiai

Youtube：土岐夫妻によるバラエティ「本題に入ろう」
https://www.youtube.com/@hondai-toki

コミュニティ内部で仕事が回ることを推奨しているところもありますので、コミュニティ特性を見極めながら、仕事になりにくいと判断したら撤退することも視野に入れて探してみましょう。

(4) SNS

ＳＮＳ投稿から仕事につながるケースもあります。

あなた自身の投稿（発信内容が思いつかなければ、偉人の言葉やChatGPTなどＡＩでつくってもＯＫ）があれば、投稿のサンプルになります。フォロワー数が増えていけば実績にもなりますので、より仕事をもらいやすくなります。

もちろんＳＮＳ投稿に限らず、事務サポートや経理、オンライン秘書でも同様です。

個人で仕事をする場合、まずは実績づくりが必須です。

最初の数件をトライアルで請けた後、実績ができてきたら徐々に価格を上げていくこともできますので、**最初はまず収入よりも実績優先で仕事をしてみましょう。**

その際、繰り返しになりますが、あくまでトライアル期間を決めておくことをおすすめします。

あなたが実績や経験を積んでいった後、トライアルのときの低価格では請け続けることができなくなります。

あくまでトライアル、モニター価格での期間限定であるということを確認の上、仕事を請けることをおすすめします。

リピートと紹介が止まらない仕事術

最初の仕事を請けた後、新規の顧客を獲得しにいくことはもちろんですが、それよりもはるかに良い方法があります。

それは「リピート」と「紹介」です。あなたがトライアルで請けた仕事をクライアントに満足いただくことで、リピートや紹介が発生します。

アナログではありますが、SNSよりもクラウドソーシングサイトよりも、確実に仕事につながる方法です。

一度SNS投稿代行や事務経理などのSNSサポート副業を依頼いただくと、**クライアントは自分の時間を奪っていた仕事を人に任せることができるという体験をしますので、再びその仕事を自分に戻すことに抵抗を感じます。**

実際に体験をしてもらうことで継続的な仕事になることが多いのです。

慣れるまでは時間がかかっていた仕事も、ルーティンワークになれば効率が上がり工数が減ります。

ルーティンワークとなった継続案件を複数獲得していくことで、収入が増え、安定していくようになります。

また＋αの提案をしたり、ルーティンワークを別のスタッフに任せて自分は指示出しに回るようにすると、さらに案件が増え単価も上がっていきます。

ＳＮＳサポート副業は会社員のように決まった給与ではないため、自分の裁量次第で収入を大幅に変えていくことができることも魅力の１つ。

あなたのライフスタイルや夢、目標に合わせて、キャリア戦略を立てていきましょう。

それでは、紹介が途切れない人になるために、発注側が「こういう人ならずっとお願いしたい！」と思う、人材の特徴をお伝えします。
発注する側から考えれば、作業やレスポンスが早くて、クオリティが高いものを納品してくれる人にお仕事を頼みたいというのが本音です。

まずは、発注側が仕事を依頼する上で、最低限抑えて欲しいポイントはこちらです。

○1 クライアントが求めること

(1) 求めるクオリティに達している
(2) 求める納期に間に合っている
(3) 出し戻しの指示が少なければ少ないほうが良い

(1) 求めるクオリティに達している

クライアントはプロとしてあなたにお金を払って仕事を依頼していますので、プロとし

ての納品物やサービス提供に満たない場合、次の発注はおろか、今回の納品物に対しても
お金を支払うことをためらいます。
たとえば、セミナー会場の手配を依頼した場合、何時間かけて調べて連絡を取り、会場
に足を運んで交渉したとしても、クライアントが希望する会場が予約できなければ、仕事
として成立していないのです。

フリーランスという仕事は、時給や給与で決まった時間仕事をすればお金がもらえるも
のではありません。
もちろん時給単価での契約形態も存在しますが、求める成果や納品物がなければ、二度
と発注されることはないでしょう。
逆に言えば、**かかった時間が5分でも10分でも、望みの成果、納品物があれば報酬は支
払われます。**
より短時間に高クオリティのものが出せるようになれば、あなたの収入はどんどん上
がっていくということでもありますので、非常に夢がある仕事とも言えます。

（2）求める納期に間に合っている

基本的にクライアントは忙しい方々です。

タイトなスケジュールの中、多くのことを進行していますので、1つの納品物が納期に間に合わないことで、多大な損失が発生することがあります。

たとえば、あなたがセールス用のランディングページの作成を依頼されていたとしましょう。クライアントはセールスまでの期間に、数週間かけて、その準備をしています。対談を組んでオンラインライブをしたり、メルマガやSNSで告知をしたりと、複数の人間を巻き込んでコストをかけてプロジェクトを進行しています。

そこで、「セールスのタイミングでランディングページができていない！」なんてことになったら、その損害は甚大です。

数週間かけて温めてきた見込み客が、本来ならば100件成約になるはずだったところが、ランディングページの準備不足や、タイミングのずれによって50件しか成約しないということになった場合、50万円の商材だったとしたら2500万円もの損失になってしまうのです。

もちろんそんなことにならないように、**余裕を持ったスケジューリングや代わりのスタッフのアテをつくっておくことが、クライアント側のリスクヘッジとして必要**なのですが、「ちょっと2、3日遅れちゃっただけ」なんて軽い話ではありませんので、納期を守ることの重要性を知っておいてください。

（3）出し戻しの指示が少なければ少ないほうが良い

何度も言いますが、クライアントは基本的に忙しい――。

忙しくて時間がないのでSNSサポートに外注しているわけですので、指示にかかる時間や労力は少なければ少ないほど良いのです。

「どうしたら良いでしょうか？」「これで良いでしょうか？」の確認が多ければ多いほど、クライアントは時間や意識を持っていかれます。

できれば最小の指示で望んだ納品物が上がってくることを望んでいます。

SNSサポート副業を始めて間もない頃は、不安から確認を多くしてしまいがちです。クライアントの時間を奪わないことが、かなり重要度が高いということを念頭において仕事をしてみてください。

ここまでは発注側が仕事を依頼する上で、最低限抑えて欲しいポイントでした。
ここからは、「次もまたこの人にお願いしたい！」「できればずっとお願いしたい！」「何なら定額払うから他に行かないでうちの仕事をして欲しい!!」と熱望される人材になるポイントをお伝えします。

○ 2 クライアントがまたお願いしたいと思うポイント

(1) 期待以上にクオリティが高い
(2) 期待以上にスピードが速い
(3) 指示が少なくても汲み取って主体性を持って進行してくれる

クライアントが求めることが満たされていれば相場での発注になりますし、期待以上であればその作業者の単価は、たとえ価格が高くなってもまたリピートして発注を受けることになるでしょう。

(1)期待以上にクオリティが高い

サービス提供や納品物はプロとして、一定のクオリティがあれば基本的には問題ありません。でもこの一定のクリティを超えてくる人がいたら、またお願いしたいと思います。

たとえばこのようなことです。

「東京から大阪へ出張をするのでホテルと飛行機を手配してほしい」というオーダーがあったとします。この場合、言われた通りにホテルの予約をとり、飛行機のチケットを取れば仕事としては成立します。

でも、またお願いしたいと思われるスタッフだったらどうでしょう?

- 東京から大阪への飛行機のチケットを手配。その際にマイルが貯まるように航空会社のアライアンスを確認してマイル登録
- 飛行機の時間から逆算して、空港到着時間と自宅を出発する時間を確認してカレンダー登録。必要ならばタクシーの手配
- 到着空港からホテルまでのタクシーやレンタカーの手配
- ホテルの予約。クライアントが所有するカードの優待などを確認し、より良い条件で宿泊できる場所を予約。アーリチェックイン、レイトチェックアウト、部屋のアップグレードなどリクエスト可能なものを事前にホテル側に知らせておく
- 出張先での会食等の確認、店の手配、会食相手への連絡事項の確認
- 出張先でのおすすめの飲食店やお土産のリストアップ
- 帰りの便の時間確認とタクシーの手配
- 到着便から自宅までのタクシーの手配

いかがですか？

ここまでしてもらえたら「好き♡」ってなりませんか？　もうこの人なしでは出張に行

けないと感じさせることができたら、リピート確定です。

デザインでもライティングでも事務でもＳＮＳ投稿代行であっても、同様です。期待を超えるサービス提供があると、リピートや紹介につながります。

期待を超えるものを提供するのに必要なのは「想像力」です。

言われたことをやる作業者ではなく、想像力を働かせて、クライアントが何を求めているかまで汲み取って仕事をすることができれば、仕事が途切れることはなくなるでしょう。

（2）期待以上にスピードが速い

仕事の打診、通常のやりとり、納品物。どれをとってもレスポンスが速いというのは、発注側にとって非常にありがたいことです。

聞いたことが、すぐに返ってくる、お願いしたことがすぐに上がってくるという状況は、仕事が滞ることなくスムーズに進んでいくので、物理的にも捗りますし、精神的にもストレスが少なくてすみます。

スピードが速いというのはそれだけで価値なのです。

案件にもよりますが、100のクオリティで1週間かかる人と、60のクオリティで1日で提供できる人だったら、後者が選ばれる可能性はおおいにあります。

クオリティを上げることは経験を積んでいかないと難しいことですが、レスポンスを速くしたり作業を速くすることは、初期からでもできることなのでぜひ取り入れてみましょう。

（3）指示が少なくても汲み取って主体性を持って進行してくれる

クライアントは自分の手をあけて、時間をつくるために、お金を払ってSNSサポートを利用しています。

ですので指示出しや確認に時間が取られてしまうと本末転倒になり、自分でやったほうが良いという判断になります。

一方で「指示待ち人間」のほうが多いというのも現状ですので、クライアントの意図を汲んで主体的に進行してくれる人がいたら、その人を手放したくないと考えます。

たとえばこういうことです。

クライアントからの「オンライン対談の拡散画像をつくってください」というオーダーに対して、指示待ちの人は「必要な画像とテキスト、ご希望のイメージを教えてください」と言ったまま、納期を確認することもなく返信を待ちます。

一方、主体性を持って進行してくれる人の場合はこのような行動になります。

対談相手の方のプロフィール画像と、クライアントのプロフィール画像で画像を作成。画像上のテキストはクライアントの記事から抜粋してイベント名、日時、場所、キャッチコピーなどを掲載。イメージはクライアントと対談相手の既存のイメージや、ターゲットに合わせて推測。

ラフ画像を作成してクライアントに確認。

「こちらのテイストで制作いたしますが、いかがでしょうか？　画像、文章等変更がございましたらご連絡ください。対談が○月○日ですので、2週間前の○日には画像が完成していると良いかと思います。○日○時までにご回答いただけましたら幸いです」

と確認期日を決めて確認の連絡。

もちろん、このような行動には依頼の全体像がわかっている必要があります。

最初は難しいかもしれませんが、経験を積んでいくことで、徐々に指示の意図や全体像が見えてくるようになると思いますので、たとえ末端の仕事であっても全体像を想像したり、把握する習慣をつけておくと良いです。

いかがでしたでしょうか？

リピートと紹介が止まらない仕事術とはすなわち「想像力」と「思いやり」です。

クライアントが何に困っていて何を求めているか、想像力を働かせて思いやりを持って進行していくことで、リピートや紹介が発生します。

スキルというよりもスタンスの部分が大きいですので、ぜひ今から日常生活でも取り入れてみてください。

会社でも家庭でも視点や行動が変わると思いますよ。

魅力的なポートフォリオのつくり方

ＳＮＳサポート副業をする人のためのポートフォリオは、将来のクライアントに自分のスキルと経験を示すための非常に重要なツールです。

ポートフォリオとは自分の仕事の実績やできることを紹介する資料のこと。オンライン上に掲載したり、パンフレットやＰＤＦ資料として送付することもあります。

以下に魅力的なポートフォリオの構成を紹介します。

○1 印象に残るキャッチコピー

あなたが何をできる人なのかを一言で伝えます。この一文であなたのポートフォリオに目を通すかどうか、一瞬で判断されますので、興味を惹くようなキャッチコピーと読み進めたくなる冒頭の文章を作成しましょう。

○2 自己紹介

簡潔に自分自身やビジネスの背景、経歴、特徴、ミッションを紹介します。

○3 専門分野

どのSNSプラットフォームに精通しているのか、または特定の業界やニッチな業界での経験があるのかを明記します。

○4 成功事例の提示

クライアントの課題とそれを解決した方法、そしてその結果を具体的に示す事例をピックアップします。必要であれば、前後の比較画像や、フォロワー数・エンゲージメント（クリック数や成約率）の増加などの具体的なデータを使用して実績を示します。

○5 サービスの詳細

提供するサービスの一覧と、それぞれのサービスの詳細説明を記載します。価格帯やパッケージ内容、オプションサービスなどを明記すると、将来のクライアントにとって判断しやすくなります。

○ 6 お客様の声

以前のクライアントからの推薦文や感想を掲載します。これは信頼性を高めるための非常に効果的な手段です。

○ 7 ビジュアル要素

グラフィック、写真、ビデオなどのビジュアル要素を取り入れることで、ポートフォリオがより魅力的になります。実際に手掛けたSNSコンテンツのスクリーンショットや動画クリップを掲載することで、具体的なスキルとセンスをアピールできます。

○ 8 更新と最適化

ポートフォリオは定期的に最新の情報や実績で更新することが必要です。SEO（検索エンジン最適化／Search Engine Optimization）やユーザビリティ(見やすさ、使いやすさ）の観点からも、サイトや資料の最適化を心掛けると良いでしょう。

○9　連絡手段の明記

クライアントが問い合わせや依頼をしやすいよう、連絡先や問い合わせフォームを明確に掲載します。初回無料相談やトライアルプランなど、アクセスのハードルを下げることで見込み客を獲得します。

○10　ブログやSNS

あなたの仕事に関係する情報やトレンド、専門性、実際の作業の裏側などの内容をブログやSNSに掲載することで、専門知識や経験をさらにアピールできます。

あなたのライティング技術やデザイン技術、お客様とのやりとりのサンプルになりますし、継続していることで信用の獲得にもなります。

参考までに私のスクールの受講生の実際の例を紹介しますね。

【貴方の事務業務を50％削減します】

忙しい経営者さん、起業家さんの業務を圧迫する事務作業を、整理分析してフローを構築、スタッフへのレクチャーを行い50％削減した上で自動化します。面倒な入出金管理、契約書や請求書、コミュニティのルール策定やキャンセル対応、事務スタッフへの細かな指示など煩雑なタスクからあなたを解放。経営者さんがより活躍できるようにバックオフィスを構築します。

【データ入力ならオフィスN】

1000件以上のデータ入力、確定申告のためのレシート入力、会計ソフトへの入力、領収書整理など全部お任せください。出張サポートも行っております。データをお渡しする形式、お渡し日時など、お急ぎの場合もお気軽にご相談ください。

【リーチ10％UP！　PRプロデューサー】

イベント事業・メディア・広報出身。PR視点の企画・戦略立案から一貫したお手伝いで売上10％UPを実現します。担当したメルマガの平均開封率は25％以上（通常10〜15％）、プレスリリースの配信で平均1000PV以上（通常数百PV）、最高8000PVを記録。企画・戦略立案・リーチまで俯瞰した視点での広報戦略が得意です。どのような形でのお手伝いが必要か、まずはお気軽にご相談ください。

【元小学校教諭が実務系サポート】

あなたの「やりたくない」を代わりにやります。

実作業をしながら、全体を俯瞰し、適切な業務をディレクションします。ビジネスを進めていく中で出てくるスケジュール管理や事務作業など、起業家さんや会社、団体さんが「細かい」「めんどうくさい」と感じる作業を行います。

〈提供可能サービス〉

- イベントやYouTube制作のディレクション
- 申込管理・顧客対応
- スケジュール管理
- 各種CRMツールや公式LINE、Zoom等のシステムやアプリの各種設定など

『きめ細かく対応してほしい』という方はご相談ください。

いかがでしょうか?
思わず依頼したくなりませんか?

あなたの持っているスキルや経験を魅力的に伝える文章や見せ方ができれば、仕事獲得のための大きな力になります。

ポートフォリオはブログやポートフォリオサイトに掲載することで、検索にもかかりやすくなり新規顧客の獲得の一助になります。

経営者交流会など、リアルの場に出ることが多い人は、簡単なパンフレットを渡したり、名刺にポートフォリオサイトへのQRコードをつけておくのも効果的です。

ポートフォリオを掲載するサイトは私も運営していますので、よかったら登録してみてください。無料です。他の人のポートフォリオも参考になりますよ。

女性起業家協業プロジェクトＦＥＡ

Female Entrepreneurs Association【ＦＥＡ】

https://f-e-a.jp/

第4章

収益化はこうしてできる！

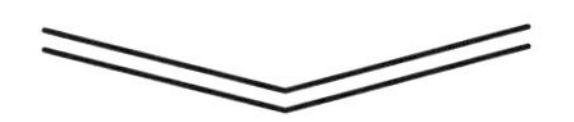

押さえておきたい お金の基本と 税金問題

16

ＳＮＳサポート副業の収益の実態（相場と月収）

実際のところ、ＳＮＳサポート副業では、どの程度稼ぐことができるのか気になりますよね？

ここではなんと、実際にＳＮＳサポート副業をしている人の請求書を公開しちゃいます！

はっきり言って、収入の額は人それぞれピンキリです。どれぐらいの時間を費やせるのか、ライフスタイルとのバランス、欲しい収入額によって、いくらでも調整可能なのがＳＮＳサポート副業です。

あなたが望む働き方に近い人や、収入額の参考にしてみてくださいね。

「夢が膨らむ」 働き方を明かします!

■SNS投稿代行　30代　Mさん			
アメブロ投稿代行	300円	26個	7800円

■ 会計サポート　40代　Nさん			
領収書整理、税理士法人とのやりとり	1,500	4時間	6,000円
会計ソフトへの入力・登録	1,500	4時間	6,000円
合計			12,000円

■ 事務サポート　40代　Kさん			
WEBサポート業務	1,200円	4時間	4,800円
コミュニティ運営サポート	2,000円	2件	4,000円
S様インスタ管理	5,000円	月	5,000円
S様インスタリール投稿代行	300円	4件	1,200円
合計			15,000円

■ 経理事務　30代　Mさん			
○○様経理サポート	30,000円	月	30,000円
△△様経理サポート	20,000円	月	20,000円
合計			50,000円

■ SNS投稿ディレクター　40代　Uさん			
○○様動画制作・SNS投稿ディレクション			
(YouTube・Instagram・X・Tik Tok)	2,000円	11個	22,000円
ディレクション	5,000円	月	5,000円
△△様動画制作・SNS投稿ディレクション(YouTube・Tik Tok・Instagram)			
ディレクション	5,000円	月	5,000円
××様動画制作・SNS投稿ディレクション(YouTube・X・Instagram)			
概要欄投稿	100円	15件	1,500円
ディレクション	5,000円	月	5,000円
○○様動画制作・SNS投稿ディレクション(YouTube・X・Instagram)			
ディレクション	5,000円	月	5,000円
note投稿(画像作成込)	3,000	3件	9,000円
合計			52,500円

■ 秘書　60代　Aさん			
○○様秘書業務			
8/1	1500円	3時間	4,500円
8/4	1500円	3時間	4,500円
8/8	1500円	3時間	4,500円
8/11	1500円	3時間	4,500円
8/22	1500円	3時間	4,500円
8/25	1500円	3時間	4,500円
8/29	1500円	3時間	4,500円
交通費	1,300円	7日	9,100円
合計			40,600円

■ライター　50代　Mさん		
○○様SNS代行		
アメブロ投稿	16個 (400)	6,400円
メルマガ投稿	5個 (500)	2,500円
LINE公式	1ヶ月 (2,000)	2,000円
○○様YouTube概要欄等ライティング	465文字 (3)	1,395円
△△様SNS代行		
ブログ記事書き起こし	5個 (1,000)	5,000円
アメブロ投稿	5個 (300)	1,500円
LINE公式	1ヶ月 (2,000)	2,000円
××様講座制作・運用		
音声収録&概要	26本 (1,500)	39,000円
運用サポート	2人 (15,000)	30,000円
日程調整・連絡・指示書等	1式 (10,000)	10,000円
合計		99,795円

■ 動画編集　30代　Nさん			
○○様案件			
編集	1,500円	11時間	16,500円
サムネ切り抜き	750円		750円
ディレクション	8,000円	1式	8,000円
動画編集教育	15,000円	1式	15,000円
OP制作	5,000円	1式	5,000円
△△様案件			
編集	1,500円	5時間	7,500円
××様案件			
撮影	1,500円	4時間	6,000円
編集	10000円	6時間	60,000円
○○様			
編集A 12,000円		4個	48,000円
編集B 5,000円		3個	15,000円
ショート動画編集	5個	700円	3,500円
OP制作	5,000円	1式	5,000円
合計			190,250円

■ サポートスタッフ　30代　Kさん			
○○様案件			
コーチング・面談費	2,000円	11件	22,000円
質問会議事録	2,000円	3.5時間	7,000円
進捗管理・ディレクション	52,000円	1式	52,000円
軽作業	1,500円	1時間	1,500円
△△様案件			
メール管理	30,000円	1式	30,000円
ディレクション	30,000円	1式	30,000円
システム管理	5,000円	1式	5,000円
グッズ発送作業	20,000円	1式	20,000円
軽作業	20,000円	1式	20,000円
××様イベントスタッフ	9,000円	1日	9,000円
合計			196,500円

■ 営業　40代　Iさん	
○○講座営業・サポートフィー	
Aさん	30,000円
Bさん	30,000円
Cさん	50,000円
Dさん	80,000円
Eさん	80,000円
Fさん	80,000円
合計	350,000円

■ディレクター　40代　Kさん			
進行管理・軽作業		1式	50,000円
スタッフマネジメント		1式	50,000円
○○様案件			
SNS運用管理			10,000円
SNS作業一式			10,000円
スライド表紙作成			5,000円
○○様講座運営			
講座運用サポート			50,000円
教材制作進行管理			6,000円
特別講座講師			40,000円
イベント司会・台本作成			30,000円
△△様SNS更新			
SNS運用管理			5,000円
X投稿(4件/日)			7,000円
××様案件			
SNS運用管理			10,000円
X投稿(4件/日)			7,500円
○○様案件			
SNS運用管理			3,000円
LINE公式配信			1,000円
○○様案件			
SNS運用管理			10,000円
アメブロ投稿	300円	5件	1,500円
コミュニティ投稿画像作成			3,000円
コミュニティプレゼント画像作成			12,000円

△△様案件			
プロジェクト進行			15,000円
SNS運用管理			10,000円
アメブロライティング	1,000円	26件	26,000円
アメブロ投稿ディレクション	300円	26件	7,800円
インスタ画像投稿ディレクション	300円	16件	4,800円
インスタテキスト投稿ディレクション	800円	15件	12,000円
インスタいいねディレクション		1式	3,000円
インスタストーリーズ投稿ディレクション			3,000円
X投稿ディレクション		1式	3,000円
X いいねディレクション		1式	3,000円
××様案件			
プロジェクト進行管理			20,000円
SNS運用管理			10,000円
メッセージプレート作成			5,000円
合計			439,600円

■ 事務・ディレクター　40代　Cさん			
○○様事務			
決済管理・事務	1,500円	10時間	15,000円
決済設定	1,800円	1式	1,800円
全体管理	30,000円	1式	30,000円
△△様事務			
ローンチディレクション	25,000円	1式	25,000円
メール配信セット	1,000円	1式	1,000円
LINE分析	2,000円	1式	2,000円
合計			74,800円

こちらに掲載したのはすべて私の会社で受け取った請求書です。

SNSサポート副業を行う人は複数の発注先から仕事を請け負うことが多いので、他のクライアントにも別に請求書を出しています。

1つの会社から数万円の仕事を請ける人もいますし、複数の会社から数十万円の仕事を定期的に請けている人もいます。

これらをご覧いただくことで、働き方も収入も「自分次第」というイメージがついてきたのではないでしょうか？

17 SNSサポート副業ならではの誰も教えてくれないルールとマナー

○1 最悪賠償に発展するので要注意

ご存じの方も多いと思われますが、ルールとは、法律や規則など、外部から決められた明確な規定を指します。ルールは、ある集団や社会の中で、共通の価値観や目的を実現するために必要な行動の基準として設定されることが多く、遵守が求められます。

一方、マナーは、社会的な習慣や慣習、礼儀作法など、ある集団や社会において望ましい態度や行動を指します。マナーは、ルールとは異なり法的拘束力がなく、自主的に行われることが多く、周囲への配慮や敬意を示すために大切なものです。

ルールを破ると最悪損害賠償までありますので注意が必要です。

マナーは破っても損害賠償などはありませんが、顰蹙(ひんしゅく)を買い、次から仕事をお願いしてもらえなくなる可能性がありますので、気をつけてくださいね。

○2 フリーランスのルールについて

1 納期を守る

先ほどもお伝えした基本的なことですが、決められた納期を守ることはとても大事です。間に合わない場合は、間に合わない旨を事前連絡し、いつならば可能なのか、日時を提示します。

プロモーションやローンチ（新商品や新サービスの開始）の場合、タイミングを逃すことで大きな損害となることがあります。

自分が直接請けた案件で納期遅れを出してしまうと、大きく信用を失うことになり、次からの仕事がなくなるだけではなく、最悪の場合は損害賠償が発生するケースもありますので注意が必要です。

納期が遅れることで自分だけではなく、クライアントの顧客に対する信用も落とすことになりますので、納期は順守しましょう。

2　守秘義務

仕事上知り得た情報は一切漏らしてはいけません。

誰が購入しているかなどの顧客情報はもちろん、講座の費用や内部情報、あなたがその方のお仕事を請けているということ自体も、基本的には公開してはいけないものです。

仕事と、請けていることや自分の制作物など、クライアントさんに確認して了承を得られた場合のみ、得られた範囲だけ公開は可能ですが、基本的にはすべてNGだと考えてください。

3　暴露・誹謗中傷・愚痴などの投稿

近年よくあるのがSNSでのつぶやきです。

匿名や裏アカであっても、商品の情報や購入者やクライアントさんについてなど、絶対に出さないようにしましょう。

愚痴や文句はSNSではなく自分だけ見られる紙に書くなどして、オンラインに載せないよう注意が必要です。

その投稿を見た人がクライアントさん自身でなかったとしても、人伝で伝わっていきますし、他人の悪口や批判、仕事への文句を呟いている人には、お仕事を依頼したいとは思わないものです。

発注側からしてみたら、**自分のことではなくてもそのようなつぶやきをしている人のことは、非常に危険な人物として発注先から外します。**

もし自分が発注した案件でされたら取り返しがつかないからです。

今後、SNS副業で仕事を得ていきたいと考えるのであれば、表アカウントでも裏アカウントであっても、絶対に案件や仕事の愚痴、お客様への愚痴、他人の悪口などを投稿しないように気をつけてくださいね。

4 飛ばし

「飛ばし」とは仲介者や紹介者を飛ばしてクライアントと直接契約をする行為のこと言い

ます。

たとえば広告代理店の会社に勤務しているデザイナーが、会社を通して仕事を受けていたクライアントから、会社を仲介せずに直接クライアントから仕事を受けたら、これは背任行為として懲戒免職、損害賠償などの対象になります。

副業やフリーランスでも同様のことが言えます。

たとえば法人を通して紹介されたクライアントのお仕事を、その法人を介さずに直接請けた場合、損害賠償を請求される可能性があります。

派遣会社などを考えてみても同じですね。

派遣会社から派遣されていたところに、派遣会社に断りなく直接入社したり、仕事を受けたりすると訴えられる可能性があります。

通常、仕事の紹介や人材の紹介には紹介料や仲介料が発生します。

当然そこまでの連絡や教育コストが発生していることですので、そこを踏み倒している状態になるからです。

ときには、「ご紹介しますね」と善意でつないでもらえるケースもあると思います。その場合、その人は仲介や紹介ではお金を受け取っていない「善意」で行ってくれたことなので「善意」を当然としないように気をつけましょう。

また、善意でご紹介くださった方にはしっかりとしたお礼をするように心がけてください。

あくまで基本は「仲介料」「紹介料」がかならず発生すると考えてください。

SNS起業家の中には会社経験が少ない人もいるため、このルールを知らずに依頼をしてくるクライアントもいると思います。

その場合も、かならず紹介者に話を戻し、うかがいを立ててからどのようにするかを相談の上で返答することが大切です。

「飛ばし」行為は損害賠償などの法的に手段を取られる可能性があるだけではなく、大きく信用を失う行為であるため、そこから先の仕事の道が断たれる可能性がありますので要注意です。

5　クライアントさんのリストに対する売り込み

クライアントの仕事で知り得た「リスト」、**リアルやオンラインのイベントでつながった人に、自分の商品を売り込むことはＮＧです。**

事前にクライアントさんとの相談や契約があり、あなたがあなたの商品をセールスすることについて許諾や、紹介料を支払うことなどの同意が取れている場合は、可能なケースがありますので、かならず一度クライアントに相談するようにしましょう。

◎　3　フリーランスのマナーについて

マナーなので絶対にしなくてはいけないことではありません。法的罰則もありません。マナーは相手への思いやりであり敬意です。

フリーランスでお仕事をしていく上で、思いやりや敬意を忘れないようにしようという、お仕事以前の人としての在り方の部分の話です。

1　言葉遣いや身だしなみ

普段メッセンジャーやＺｏｏｍなどでのやりとりが多くなると思いますので、その際に丁寧な言葉遣いや、最低限失礼ではない服装、メイクで臨みましょう。

大人数が入るようなＺｏｏｍやリアルの会において、スタッフもクライアントの商品の一部、顔の一部として購入者からは見られます。

その際に、言葉遣いがフランクすぎたり、服装がＴＰＯに合っていないと、クライアントの顔を潰してしまうことになります。

自分自身も商品の一部である認識を持って、その場にいるように心がけてください。服装やヘアメイクはもちろん、表情や反応も同様です。

クライアントやお客様がお話ししている最中によそ見をしていたり、他で話をしていたり、スマホをいじっている様子が見えることは失礼にあたります。

作業などがある場合は、あらかじめビデオオフにするなど、クライアントの許可を得て、失礼にあたらないような行動を心がけてください。

2　普段の振る舞い

たとえばクライアントのイベントにスタッフ参加していて、そのときの参加者さんと別のところで会ったり、オンラインでつながることもあると思います。

その際も、**相手からしてみたら「〜さんのスタッフの〜さん」という認識がありますので、無視をしたり雑な対応にならないように気をつけましょう。**

自分の振る舞いがクライアントの評判を落としてしまうことにつながります。

仕事ではないので、必要以上に親切にすることはしなくて良いのですが、感じの良い対応を心がけるようにしましょう。

3　クライアントへの言及

オンラインオフライン問わず、クライアントについて他の人から聞かれた場合、もちろん仕事の詳細をお話しするのはルールとしてNGですが、クライアント自身の印象についてもネガティブな言葉ではなく、ポジティブな言葉で話すように心がけましょう。営業用語で「T—UPをかける」と言いますが、クライアントを良く伝えることによって、まわりまわってお仕事につながっていくケースもあります。

逆に**ネガティブなことを伝えると、クライアントの評判を落とすばかりではなく、ネガティブに伝えている自分自身の信用を落としてしまいますし、そのことがクライアントに伝わった場合、仕事自体がなくなる可能性もあります。**

飲み会や親しい人たちとの場こそ、より気をつけるようにしましょう。

4　良い顧客であること

あなた自身が他の方のサービスを購入することもあると思います。そのときの「お客様」としての態度も気をつけましょう。

たとえばあなたが購入したサービスにおいて、先方の事務スタッフとのやりとりが雑であったり、無断で入金の遅延があったり、クレームやSNSでの誹謗中傷コメントを書いていたり、**なんらかのトラブルを起こしたりした場合、そのクライアントや事務スタッフにあなたの名前が印象付きます。**

その結果、あなたはそのクライアントさんからお仕事を依頼されることは一生なくなると思ってください。

また、事務スタッフの中には、複数のクライアントさんを掛け持ちしているスーパースタッフがいたりします。

その人は密かにブラックリストを持っていて、他のところでトラブルを起こした人の名前を保管しています。

ブラックリストに載っている人に、お仕事を依頼しようとはまず考えませんし、クライアントが他のスタッフを雇用しようと考えているときにも、そのリストは発動されます。あなたの「お客様」としての態度も、あなたが仕事をする際の評価につながっているということを知っておいてください。

マナーについては「思いやり」ですので、そのケースは無限にあります。どうあることがクライアントのためになるか、ひいては自分のためになるか、普段からよく考えて「在り方」を意識すると良いですよ。

SNSサポート副業で生きていくということは、あなたの顔と名前の元、仕事をしていくということです。会社やお役所の看板ではなく、あなた自身が看板になります。

信用を積み重ねていくには時間がかかりますが、信用を失うのは一瞬です。どう「在る」ことが望ましいのかをしっかり考えていきましょう。

結局は「誠実であること」「思いやり深くあること」に尽きると思います。仕事とはいえ結局は「人」対「人」。あなたの在り方があなたの人生をつくっていきます。

この本を手に取ってくださったみなさんには、これからの人生がより良くなるよう、小手先ではなく本質で仕事に臨んでいただけたら嬉しいです。

18 知らないと数千万円損をする税金の話

副業やフリーランスで働く人々にとって、税金の知識は非常に重要です。知らないと損をするかもしれない税金に関連するポイントをお伝えします。

○ 確定申告の超基本

確定申告は、1年間の収入と支出を報告し、所得税を計算・納付するプロセスです。副業やフリーランスの収入がある場合、確定申告は必須となります。

日本の場合、確定申告の期間は通常2月16日から3月15日までとされていますが、年によって異なる場合もあります。会社員などの給与をもらっている人は、会社で年末調整をしてくれるのですが、会社ではなく個人で仕事をする場合には自分で税を申告する必要があるのです。

とはいえ、会社員や公務員の方にはあまり馴染みのない「税金」。わからないことだらけですよね？　みなさんが疑問に思うことについてお伝えしますね。

Q1 所得税ってどれくらい払うの？

ＳＮＳサポート副業で仕事をして収入を得てみたものの、どれぐらい税金を払わなくてはいけないのか不安になりませんか？

確定申告をして所得税の計算をするわけですが、その前にいくら稼いだら、いくらぐらい税金を払うことになるのか知っておきましょう。

まず、税金は「課税所得」に対してかかります。

課税所得とは1年間のすべての収入から、経費や所得控除などを差し引くことで計算できます。さらに、課税所得に所定の税率を適用することで、所得税の金額を計算することが可能です。課税所得に対する所得税の金額は、次の「所得税の速算表」を使用すると簡単に求められます（参照：国税庁ホームページNo.2260　所得税の税率より）。

■平成27年分以後		
課税される所得金額	**税率**	**控除額**
1,000円から1,949,000円まで	5%	0円
1,950,000円から3,299,000円まで	10%	97,500円
3,300,000円から6,949,000円まで	20%	427,500円
6,950,000円から8,999,000円まで	23%	636,000円
9,000,000円から17,999,000円まで	33%	1,536,000円
18,000,000円から39,999,000円まで	40%	2,796,000円
40,000,000円以上	45%	4,796,000円

※平成25年から令和19年までの各年分の確定申告においては、所得税と復興特別所得税（原則としてその年分の基準所得税額の2.1パーセント）を併せて申告・納付することとなります。

（例）　課税される所得金額が5,000,000円の場合
求める税額は次のようになります。
5,000,000円×0.20－427,000円＝573,000円

Q2 確定申告をしないとどうなるの？

原則として3月15日の確定申告期限までに申告や納税をしないと延滞税や無申告加算税などの申告漏れによるペナルティが課されることがあります。罰金や追徴課税、さらには刑事罰が科せられることもありますので注意が必要です。

1 無申告加算税

無申告加算税は確定申告書を3月15日までに提出しなかった場合、納付すべき本税に加えて課される罰金的なものです。

無申告加算税は、次の割合を納付税額にかけた金額になります。

- 納付税額が50万円まで　15％
- 納付税額が50万円超300万円以下　20％
- 納付税額が300万円超　30％（納税者の責めに帰すべき事由がない場合、300万円超の判定にあたっては除外【令和5年度改正】）

・税務署の調査を受ける前に自主的に期限後申告をした場合　5%

申告期限から1か月以内に自主的に納付した場合には無申告加算税は課せられませんので、確定申告を忘れた場合もなるべく早く申告をするようにしましょう。

（参照：国税庁ホームページ「確定申告を忘れたとき」）

2　延滞税

確定申告の期限である3月15日は、支払うべき税金を納める期限でもあります。この期限までに完納しない場合に課せられる罰則的税金が延滞税です。

原則として、延滞税は法定納期限の翌日から納付するまでの日数に課されます。延滞税は納税者自らが計算する必要はなく国が計算しますので、計算された金額をすみやかに支払うことが必要です。延滞税の税率は、納期限の翌日から2か月を経過する日までについて、年分ごとに異なりますが、たとえば令和4年分は年2・4%です。

3　延滞税の税率［令和3年1月1日以後の期間に対応する延滞税の割合］

①　納期限までの期間及び納期限の翌日から2か月を経過する日までの期間については、

年「7・3％」と「延滞税特例基準割合＋1％」のいずれか低い割合

② 納期限の翌日から2か月を経過する日の翌日以後については、年「14・6％」と「延滞税特例基準割合＋7・3％」のいずれか低い割合

（参照：国税庁ホームページ「延滞税の計算方法」）

故意に脱税をした場合に「5年以下の懲役もしくは最大500万円以下の罰金、または、その両方」が課されることもありますので、知らなかったでは済まされません。仕事をして収入を得たら、かならず確定申告をするようにしましょうね。

Q3 白色申告と青色申告って何？

確定申告には白色申告と青色申告の2種類があります。青色申告するには事前に税務署への届出が必要になるため、手続きをしていない場合は自動的に白色申告となります。

簡単にいうと、白色申告は手続きが簡単ですが、控除額が少ないので税金が高くなります。青色申告は、手続きが複雑で適切な帳簿の提出が必要ですが、控除額が大きく節税効

果があります。

副業やフリーランスで得る収入が少ないうちは、白色申告でも良いと思いますが、収入が増えてきたら青色申告にしたほうがメリットがたくさんあります。

●青色申告のメリット

1　最大65万円の特別控除が受けられる。

青色申告には税負担を軽減する特別控除が設けられており、最大で65万円を所得から控除することが可能です。

もし収入が同じだった場合、青色申告を利用することで税対象となる所得が65万円減少し、それに伴って納税額も減少し、利益を享受することができます。ただし、e-Taxを利用した申告（電子申告）や電子帳簿保存を行わない場合には、最大で55万円の控除に限定されます。

2　赤字を繰り越しできる

青色申告を選択すると赤字の繰り越しができます。

これは、たとえば前年に100万円の赤字があり、翌年に200万円の利益を上げた際、白色申告では200万円の利益に対する税金を支払わなければならないのに対して、青色申告では200万円の利益から前年の赤字100万円を差し引いた100万円分の税金だけを支払えば良くなる、というメリットがあります。この赤字の繰り越しは3年間可能です。

3　家族への給料を経費にできる

青色申告にはいろいろな利点がありますが、特に注目すべき点は「専従者の給与を経費として計上できる」という特典です。

専従者とは、簡単に言うと、あなたの仕事を支援してくれる（主に従事している）家族のことを指します。家族に給与を支払い、それを経費として計上することで税金の節約が可能になります。

4　30万円未満の固定資産は一括で経費計上できる

白色申告では、仕事用のパソコンや車など10万円以上の固定資産については、利用可能な期間に基づいて減価償却を適用する必要があり、購入から経費として完全に計上するまではかなりの時間がかかります。

しかし、青色申告を選択すると、30万円未満のアイテムは一括で全額経費として計上できるので、これにより税金の節約が可能となります。

5　家賃や水道光熱費なども経費にできる

副業・フリーランスの人の中には、自宅を事務所としても利用しているケースが多いでしょう。青色申告を選ぶと、そうした場合に家賃や電気代、インターネット料金などが経費として計上できます。

ただし、自宅は生活空間としても使っているため、家賃の全額を経費とすることはできません。しかし、事業に使っている部分に応じて家賃を経費とすることができるので、適切な割合で計上することが可能です。

この方法で日々の固定費の一部を経費として計上することにより、節税のメリットを享受できます。

白色申告の場合、事業利用の割合が50％以上でないと経費として認められません。

Q4 どんなものが経費になるの？

経費とは、事業を運営する上で発生した費用のことです。

ＳＮＳサポート副業ならば、仕事に使うパソコンや事務用品、名刺やホームページの作成料金、ツールやソフトウェアの代金、インターネットなどの通信費、仕事で使った交通費や、交際費、会議室の費用などが経費になります。

また、副業やフリーランスを始めるにあたって、学んだ教材やスクールの授業料なども経費にできる可能性がありますので、しっかり申告するようにしましょう。もちろんこの書籍も経費にできます。

Q5 助成金や補助金ってもらえるの？

副業やフリーランスで新たに仕事をはじめる際に、助成金や給付金を受け取れる可能性があります。

ではどのように助成金や補助金を受け取ることができるのか、流れをお伝えしますね。

1　情報収集

まず、助成金や給付金の情報を収集することが重要です。国、地方自治体、産業団体などの公式ウェブサイトや、専門の助成金情報提供サービスを利用して情報を収集しましょう。

2　資格確認

それぞれの助成金や給付金には、申請資格が定められています。資格要件を確認し、自分が申請可能かどうかを確かめましょう。

3　申請準備

必要書類の準備や、申請に必要な情報の収集を行います。また、助成金の場合は事業計画書を作成することも求められることがあります。

4　申請手続き

申請フォームを記入し、必要書類を提出します。オンラインでの申請が可能な場合もあります。

5　審査および承認

申請書類の審査が行われ、承認されれば助成金や給付金が支給されます。

助成金や給付金は返済義務がないことが魅力的ですが、申請には成功の保証がなく、申請が承認されるまでには多くの時間と労力が要求されるのが通常です。どの種類の給付金や補助金があるのかを調査するだけでも時間がかかり、申請の準備や書類作成にもさらに時間が必要となります。

申請して通らなかった場合、労力が無駄になってしまいますので、最初にその補助金や給付金が自分の状況に適しているか確認することが重要です。

また、補助金や給付金の申請手続きを成果報酬制で代行する業者もいるので、それを利用するのも1つの選択肢です。

費用はかかりますが、自分で準備するのに比べて時間を節約できるため、書類作成が得意でない方にとっては考慮する価値があります。

さらに、もし税理士に確定申告などで依頼しているのであれば、給付金や補助金に関してアドバイスを求めるのも良いでしょう。

【助成金・給付金の例】

SNSサポート副業をする人が受け取れそうな各補助金・給付金の例をお伝えします。ただし、詳細は変更される可能性があるため、公式のウェブサイトや関連機関に直接お問い合わせください。

- 小規模事業者持続化補助金

小規模事業者持続化補助金は、小規模な事業者が経営の安定や事業継続を図るために提供される補助金です。

これにより、新たな設備投資やマーケティング活動、事業計画の策定などに資金を提供し、事業者の持続的な発展を支援することを目的としています。

・ＩＴ導入補助金

ＩＴ導入補助金は、中小企業や小規模事業者がＩＴツールを導入し、業務効率の向上やオンライン販売の展開などを図るための補助金です。この補助金は、事業者がデジタル化により競争力を向上させることを支援しています。

・都道府県や市町村による支援金

各地方自治体は、地域の経済活動を支援するために、さまざまな補助金や支援金を提供しています。

これには、新規事業の創業支援、観光振興、地域産品の販売促進など多岐にわたる目的があります。

各自治体のウェブサイトや経済部門にお問い合わせすることで、利用できる補助金や支援金の情報を得ることができます。

それぞれの補助金・給付金には、申請資格や対象となる活動、申請方法などが定められていますので、詳細は関連する機関の公式ウェブサイトや資料を参照し、必要に応じて直接問い合わせをすることが重要です。

SNSサポート副業をする人にとって、税金やお金の話は切っても切れないもの。とはいえ、税金やお金のことに関しては苦手意識を持つ方も多いと思います。

お金のことが得意だったり、会社員で税務や経理の仕事をしているという人以外は、税務に関する専門知識を持つ税理士や公認会計士に相談することをおすすめします。

適切な税務処理や節税対策を教えてもらえるだけではなく、税務調査に対するリスクを低減するアドバイスを受けることもできます。

苦手なことは得意な人へ頼みましょう。それこそがSNSサポート副業の在り方です。

19

苦手が得意に変わる！簡単見積もりの算出方法

ＳＮＳサポート副業をはじめようと思ったとき、実際にどれぐらいのお金がもらえるのか、さっぱりわからないという方も多いと思います。ここでは、あなたが提供するビジネスの価格について、作業価格の決め方についてお伝えしていきます。

クライアントから「いくらでお願いできますか？」と聞かれることもあれば、お見積りをくださいと聞かれることもあります。

回答をする際に、基準となる価格を把握しておきましょう。

○１　基本的な価格の付け方

基本的に作業価格は納品物で決まります。

（例）

- 拡散画像1枚　1500円
- YouTubeサムネイル画像作成　3000円
- 小冊子トップページデザイン　3000円
- チラシデザイン　1万円

など、わかりやすく納品物があるものは1枚いくら、1画像いくらと提示しやすいかと思います。

○2　制作時間と単価について

1枚の画像作成に1時間かかろうが、30時間かかろうが単価は変わりません。

発注する側から考えれば、早くてクオリティが高いほうが嬉しいので、時間がかかることは価値ではありません。

クライアントが求めることが満たされていれば相場での発注になりますし、期待以上であればその作業者の単価は、たとえ価格が高くなってもまた発注を受けることになるでしょう。

逆に、クオリティが低い、時間がかかる、やりとりに時間がかかる作業者の場合は相場の価格では発注されません。自分自身のレベルが上がるまでは、相場よりも低い単価での見積もり提示が妥当です。

○3 納品物がない場合の価格の付け方

メール返信やスケジュール管理、顧客対応などは納品物という明らかな成果物があるわけではないので価格設定が難しいところです。

その場合はボリュームに応じて月単位での見積もりが一般的です。

（例）

メール返信サポート

週に2回4時間（月に32時間の稼働の場合）
月額4万円

秘書業務
月に10時間程度　月額3万円

こちらの納品物が特にない場合でも、クライアントが求めることは同じです。

①求めるクオリティに達している
②求める納期に間に合っている
③出し戻しの指示が少なければ少ないほうが良い

このような方にお仕事は依頼されますし、それが期待以上であればリピートされます。
案件が増えていけば、値上げをしていっても新規のお客様が入ることでしょう。

○4 相場について

自分の時間やスキルの価値を正確に評価することが重要です。市場調査を行い、同じようなサービスを提供している他のフリーランスや事業者の料金を確認し、適切な料金を設定しましょう。相場は同じサービスをしている人がいくらで提供しているかを調べることでわかります。

クラウドソーシングサイト例

- ランサーズ　https://www.lancers.jp/
- クラウドワークス　https://crowdworks.jp/
- シュフティ　https://app.shufti.jp/
- ココナラ　https://coconala.com

たとえば、「ココナラ」でサムネイル画像をいくらでつくっているかを調べます。

〈Ｗｅｂサイト制作・Ｗｅｂデザイン〉　サムネイル

こちらを調べると、3000円・2000円・1000円といった価格が並んでいますので、これをベースに考えます。その金額で出している人の制作実績を見て、クオリティや納期、制作数、提案範囲などを比較してみてください。サムネイルの場合、制作範囲も確認しましょう。

- 掲載画像素材の提供の有無
- 掲載テキストの提供の有無
- アップロードはするのか
- 元データ納品はするのか
- ファイル形式は何か

納期の確認も大事です。納期が1日なのか3日なのか1週間なのか2週間なのか、短納期であればあるほど価格は上がっていくことが一般的です。

○5 価格の変更について

まずは低価格で受注して実績を積んでから、徐々に値上げをしていくと良いでしょう。武者修行と考えたくさんつくって経験を積むことをおすすめします。経験を積んでいけばクオリティも制作速度もクライアントとのやりとりの効率化も進んでいきます。次第に、より短時間で高単価な制作が可能になっていきますので、はじめはとにかく物量をこなしましょう。

○6 見積書に記載すること

プロジェクトの実行に必要なすべての経費をリストアップし、それぞれのコストを評価しましょう。これには、材料費、交通費、通信費、外注費、ソフトウェアやハードウェアの費用などが含まれます。外での打ち合わせが必要な際は交通費がかかりますし、有料の写真素材などを使用する際は素材費がかかります。

見積書にはクライアントが提供されるサービスや費用の内訳を理解できるように、明細を記載しましょう。締日と支払い期日も相談しながら決め、記載するようにしましょう。

また見積もりの有効期限を明記しておくことで、期限が切れた後の料金変更の可能性を示すことができます。

○7　追加費用が発生する場合

最初に依頼された内容から変更や追加があった場合、まずは見積もりを提示して承認を得てから作業を進めるようにしましょう。同じ金額で追加作業を要求されるケースや、作業後に費用が高すぎると支払いを拒否するようなクライアントも存在します。

リスクヘッジのためにも、口頭ではなく文章で追加や変更にかかる金額を明示し、クライアントの承認が確認できるように履歴を残しましょう。

第5章

可能性は拡大の一途！

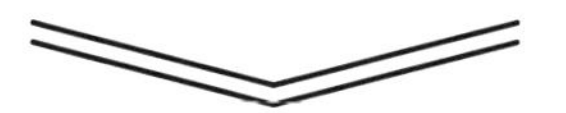

「SNSサポート副業」ステップアップ戦略

SNSサポート副業で収入を上げていく方法は「時間単価を上げる」

副業やフリーランスとして働く際、時間の価値が非常に大きくなることに気づきます。会社員や公務員の場合、定められた時間を働けば給料をもらえますが、フリーランスは働いた分だけが収入になります。

たとえばサムネイルをつくる仕事が4000円の発注額だったとしましょう。制作に2時間かかると時給2000円となり、30分でできる人は時給8000円の人材ということになります。

つまり**「短時間でできる人」が時間単価が高い人**ということになります。

ではどうしたら時間単価が高い人になれるのでしょうか。時簡単価が高い人の働き方についてお伝えします。後に行けば行くほど時間単価が高い人材と言えますので、ステップアップを考える人は、ぜひ頭に入れながら読み進めてくださいね。

○ 時間単価が高い4つのタイプ

時間単価が高い人は以下の4つの要素がある人です。

（1）効率の良い人
（2）売上を生み出せる人
（3）人に指示を与えられる人
（4）仕事自体を生み出せる人

（1）効率の良い人

効率の良い人とは短時間で仕事を理解し、取り組み、納品できる人です。

たとえば、「この商品のランディングページをつくってください」という依頼において、下記のようなタスクが考えられます。

- アップするサーバーの契約や確認
- ドメインの設定
- ヘッダー画像の作成
- 文章の作成
- ページデザインの作成
- コーディング（デザインをＨＴＭＬという言語を使って作成し直すこと）
- フォームの作成
- 決済関連の紐付け
- キャンセルポリシーの設定
- 特商法ページの作成
- 返信メール等の設定
- 事務局対応
- 決済管理

これらの作業のうち、自分はどこを担当するのかが即時に理解できて、できるだけ多くのパーツを担当可能な人の方が、発注側からしてみれば指示工数が少なくてすみますので、効率が良い人材となります。

文章や画像や返信メールの文なども1つひとつ指示を出すと非常に工数がかかります。**ある程度自主的に作成できる人材は、手間がかからずありがたい存在と言えます。**この人にお願いしたら全部やってくれるので、発注側はまた次もお願いしようと考えます。

SNSサポート副業業界は、できる人ならばできる人ほど時間単価が上がっていきます。できる範囲が広がり、受けられる範囲が大きくなればなるほど収入も上がっていくようになっています。

パーツだけの仕事をする人やすべての指示を細かく受けないと仕事ができない人は、残念ながら末端の仕事になりますので、収入も上がりにくいです。

自主的に動ければ動けるほどどんどん評価されて収入が上がるというのは、会社員的な働き方とは真逆なところだと思いますので、SNSサポート副業をしたい人、もしくはフリーランスになりたい人は、ぜひインストールしてくださいね。

（2）売上を生み出せる人

売上をつくる能力は、特にマーケティングやセールスの分野で非常に価値があります。

たとえば、セールスページやメールマーケティングのライティングスキルを持つ人は、クライアントの売上を向上させることができ、これが直接的に自身の収入増加につながります。

売上を上げるためには、市場のトレンドを理解し、ターゲットのニーズと期待を把握し、効果的なコピーやデザインを作成する能力が求められます。

また、売上を上げることで、成果報酬ベースの契約ではさらに収入を増やすことが可能になり、これが自身の時間単価をさらに向上させる要因となります。

さらに実際に顧客から成約を獲得することのできる営業スタッフも高収入につながりやすいです。

フルコミッション（成果報酬型）の営業の仕事では、契約が取れれば取れるほど収入が上がります。

（3）人に指示を与えられる人

他人に指示を出せる立場になることは、リーダーシップ能力とコミュニケーション能力の両方が求められます。

この立場にある人は、プロジェクトの全体像を把握し、チームメンバーに明確かつ効果的に指示を出す能力が求められます。

さらに、指示を出すだけでなく、プロジェクトの品質を保つためのクオリティチェックも必要とされます。

この役割を効果的に果たすには、基本的なライティングやデザインのスキル、そしてチームと効果的にコミュニケートする能力が必要です。

経験と知識を積むことで、指示を出す立場になり、時間単価を向上させることが可能になります。

人に指示を与える立場になるには、まずパーツとしてのポジションを経験してから、ステップアップするケースが多いです。この立場の人はディレクターという呼称で呼ばれます。

（4）仕事自体を生み出せる人

新しい仕事を生み出せる人は、市場のニーズを理解し、新しいプロジェクトやサービスを設計し、実行する能力を持っています。

この立場にある人は、新しいチャンスを見つけ、人材を管理し、必要なリソースを配分し、リターンを最大化する責任を持っています。

プロジェクトが不発に終われば人を使った分だけコストを支払うことになるので、負債を抱えることもありますし、売上が上がってもコストと見合わずに利益にならないというケースもあります。

この立場になるためには、市場分析、プロジェクトマネジメント、人材管理などの幅広いスキルが求められます。

そして、リスクを管理し、プロジェクトを成功に導く戦略を練る能力も重要であり、プロデューサーという呼称で呼ばれます。

ディレクターやプロデューサーになるには、末端の仕事から始まり、人を使う立場になってから分岐していきます。

まずは末端の仕事で効率の良い人材になるところから目指していきましょう。

21 副業から本業にしたいと思ったときにすること

SNSサポート副業で月に5万円10万円と稼げるようになっていくと、副業ではなくフリーランスとして収入を得たいと考えるタイミングがくるかもしれません。

そのタイミングでするべき行動についてお伝えします。

○1 会社との調整

現在働いている会社とまずは交渉してみましょう。

会社によっては週に2、3回の勤務や時短勤務、リモートワークを許可してくれる場合があります。

いきなり退職してフリーランスになるのではなく、段階的に移行していくことも可能な場合がありますので、まずは会社と交渉することがおすすめです。

また退職のタイミングや有給の消化、引き継ぎなども確認しましょう。会社から独立するにあたって、円満な関係性での独立をおすすめします。

なぜならば独立した後も、その企業から仕事を発注してもらうことができるかもしれませんし、あなたの後に退職する人があなたの仲間のスタッフになってくれるかもしれません。

今までお世話になった会社に感謝を伝えながら、新たな門出を祝福してもらえる形で独立できたらベストですね。

◎ 2 収入チェック

副業から得ている収入が、本業に切り替えるために十分かどうか確認する重要なステップです。

毎月の生活費、家賃、食費、交通費、保険料等、必要な支出をリストアップし、これらをカバーできるだけの収入が得られるかを確認します。

さらに、緊急事態の資金や将来の財務計画にも対処できるか検討することも重要です。

◎3 お金の準備

フリーランスとしてのキャリアをスタートする前に、ある程度の貯蓄をしておくことが重要です。

突発的な出費や収入の不安定な時期に備えて、少なくとも3〜6か月分の生活費を貯蓄しておきましょう。

◎4 人脈づくりとクライアントの獲得

既存のクライアントと良好な関係を保つことはもちろん、新しいクライアントを見つけるための人脈づくりも重要です。

ネットワーキングイベントに参加する、オンラインコミュニティに積極的に参加するなどして、業界内の人脈を広げましょう。

既存のクライアントに独立する旨を伝えて、より多くの仕事を請けたり、別のクライアントを紹介してもらえる場合もあります。

○5　法律と税金の知識

フリーランスとして働く際には、税金や法律に関する基本的な知識が必要です。必要な書類の準備、税金の申告等、自分で管理しなければならないことが増えます。わからないことがあれば、専門家に相談しましょう。

○6　宣伝

自分のビジネスを広告やＳＮＳを通じて宣伝し、より多くの人に知ってもらうことが重要です。**お客様の評価や推薦を受けることも、新しいクライアントを獲得する大きな助けとなります。**

○7　フィードバックの収集

クライアントからのフィードバックを積極的に収集し、サービスの改善点を見つけます。良いフィードバックは自分のモチベーションアップにもつながります。

○8 心の準備

フリーランスとして働くことに対する心の準備が必要です。

不安やストレスに対処する方法を学び、サポートシステムを確立しておくことも重要です。

相談に乗ってもらえるフリーランス仲間や、コミュニティ、メンターをつくっておくことをおすすめします。

月収5万円の人がしていること

月収5万円の場合、クライアントの数は1～3件で達成可能です。あなたの職種によりますが、オンライン秘書や経理サポートスタッフ、コミュニティ運営スタッフ、ショート動画編集、SNS投稿代行など、月に2～3万円の案件を継続的に依頼いただくことで達成可能な収入です。

最初のうちは数千円の仕事かもしれませんが、継続して適切な納品を続けていれば、次第に任される仕事や量が増えていきます。

周囲の人にも自分の仕事を伝えておくことで、紹介が発生することもあるでしょう。

また、起業家コミュニティなど、たくさんの人が所属しているコミュニティに参加することによって、コミュニティメンバーからの仕事の依頼も発生する可能性が高いです。情報収集や仲間づくりにもなりますので、まずは何かのコミュニティへ参加することがおすすめです。

起業家コミュニティはFacebookやInstagramで「フリーランスコミュニティ」「起業家コミュニティ」「女性起業家コミュニティ」などの検索ワードで検索するとたくさん出てきます。

オンライン交流会やお茶会などを開催しているところがありますので、まずはいくつか参加してみましょう。

月収10万円の人がしていること

月収10万円の場合は、ニーズの高いジャンルで2、3件のクライアントを持つことで達成可能です。

ショート動画編集やサムネイル制作、SNS投稿代行、オンライン秘書、メルマガライティングなど月額3万円程度の作業を3、4クライアント持つことで10万円になります。

まずはひとりのクライアントの元で仕事をし実績をつくります。その実績やお客様の声をもとに、SNSや口コミ、交流会などで仕事を広げていきます。

あなたの職種をほしがる人がいるところを探して、その場所にアプローチすることも有効です。

オンラインでもそのような機会はありますが、可能ならばリアル場に行ったほうがより仕事を獲得しやすくなります。

私もよく東京で交流会やパーティーなどを開催していますが、北海道や沖縄、福岡、広島、大阪、秋田などなど、全国各地から、ときには海外からも駆けつけてくれる人もいます。国内なら飛行機を使っても2時間程度で移動ができる場所が多いと思いますので、思い切ってリアルで参加してみることをおすすめします。

月収100万円の人がしていること

月収100万円クラスになると、ディレクターやプロデューサーの立場のケースが多いです。複数のクライアントの案件を企画・設計・運営・進行していくことで高単価になっていきます。

ディレクターの場合は5〜30万円の案件を複数持つケースが多いですが、プロデューサーの場合はプロジェクトごとに、3か月で300万円という契約であったり、成功報酬で半年に1回数千万円というケースもあります。

ディレクターがしていることは、前にも少しお話ししましたが、仕事を持ってきてくれるプロデューサーや営業とのやりとりであったり、クライアントと直接やりとりをしての要件定義や確認、実作業をしてくれるスタッフへの細かな指示出しとチェックなどです。

プロデューサーは営業も兼ねますので、見込み客に会いに行ったり、経営者会に参加してみたり、SNS発信をしての案件獲得を行います。仕事の依頼を検討している人との面談も重要です。解決したい課題を丁寧にヒアリングして、さまざまな提案をしながら提供可能なサービスを提示します。

いざ仕事を請ける前にも、仕様定義や期間、見積もりや報酬の取り決め、プロジェクトの座組やスケジュールなどを1つひとつ確認していく必要があります。

また、案件を進行するためのディレクターや各種スタッフのアサイン、費用提示、契約なども発生します。

多くの人を巻き込むことで案件も報酬も大きくなっていきますので、月収100万円以上を望む人は広い知識や経験、人脈やコミュニケーションを獲得できるように行動してみてください。

第6章

それでも
うまくいかなかったときの
アドバイス

仕事と家庭のバランスがわからなくなったときのお助けアイデア

副業やフリーランスで働く人は、会社員のように決まった時間での勤務ではないので、自分の裁量でどこまででも働けてしまいます。

一方、シングルマザーであったり、介護をしている人は、なかなか仕事をする時間をつくること自体が難しかったりしますよね。

・家事や育児に時間が取られて、仕事に充てる時間を確保するのが難しい
・夜のオンラインＭＴＧの時間に子どもが起きてきてしまう
・仕事が忙しくてパートナーと過ごす時間がない
・自分の趣味や休暇がなくなってしまう
・本業の会社で疲れてしまって、副業や勉強に回す時間がない

こんな悩みを抱えるかもしれません。

そんな方のためにワークライフバランスを保つヒントをお伝えします。

1　時間を上手に使う

時間管理は日々の効率を高める基本的な要素です。

何をするにも「順番」と「時間」が重要です。

まず、やるべきことリストを作成し、各タスクに優先順位をつけてみましょう。

これにより、重要かつ緊急なタスクから順に処理していくことができ、時間を無駄にすることなく効率的に一日を過ごすことができます。

さらに、時間管理アプリなどを使用して、どの活動にどれだけの時間を費やしているかを確認し、時間の使い方を見える化してみるのも良いでしょう。

2　人に任せることの認識を変える

すべてのタスクを自分一人で処理しようとするのは無理です！

ストレスの原因となることもありますし、無理をしすぎると心身に悪影響を与えます。

家事、子育て、仕事、これらの多くのタスクは他の人に依頼することが可能です。

たとえば、家事を両親やパートナーに分担してもらったり、子どもに自分のことは自分でやってもらうことも考えられます。

専門の家事代行サービスや清掃サービス、ベビーシッターを利用したりすることもできます。


仕事においても、特定のプロジェクトやタスクを信頼できるチームメンバーや外部の専門家に委託することで、自分の時間とエネルギーを節約し、得意なことに集中することができます。

不得意なことは時間がかかる上に、ストレスもエネルギー消耗も激しいもの。自分の不得意は誰かの得意ですので、どんどん得意な人に依頼し、自分は自分が得意なことをしましょう。

3　自分のための時間をつくる

ついつい後回しにしてしまいがちですが、自分自身の心と体の健康は非常に重要です。**毎日、少しでも自分だけの時間を確保し、リラックスやリフレッシュを図ることが大切です。**

たとえば、短い散歩をする、瞑想をする、好きな音楽を聴く、読書をするなど、心地良い活動を見つけて実行しましょう。

自分のための時間をつくることで、ストレスを軽減し、全体的な幸福感を向上させることができます。

4　仕事する場所を整える

清潔で整理された作業スペースは、集中力を高め、生産性を向上させます。

仕事をする場所を整え、必要なアイテムを手の届く場所に配置し、不要なアイテムは排除しましょう。

さらに、**快適な椅子や適切な照明を確保し、仕事環境を改善することで、作業効率と心**

地よさを向上させることができます。

自宅で場所の確保が難しい場合はコワーキングスペースを借りるという手もあります。時間貸しや月極での契約などもありますので、あなたの都合に合わせて集中できる場所を確保しましょう。

5　宅配サービスを活用する

日々の買い物やクリーニングなど、ちょっとした外出は思いの外時間が取られるもの。食材や日用品の宅配サービスやＵｂｅｒのような食事を運んでくれるサービスを活用して、できるだけ時間と労力を削減することも１つの手です。

給与が決まっていた会社員とは違い、あなたの時間はお金です。

スーパーにお買い物にいって帰ってくる1時間で数千円、数万円稼げるとしたら、多少割高であっても宅配のほうがコストが安い場合があります。自分のコストを考慮してサービス利用をしましょう。

6 便利家電に頼る

自動の掃除機や乾燥機付き洗濯機、食洗機など家事を軽減する家電は積極的に利用しましょう。

毎日家事にどれぐらいの時間を使っているか書き出し、その時間で仕事をしたらいくら収入になるのかを計算してみましょう。

また、家電を使うことで消耗する体力やストレスのことも考えてみましょう。

便利家電を使うことで、あなたの時間、体力、ストレスが軽減されるなら、早急に決断することをおすすめします。

7 しっかり休む

質の良い休息は、明日への活力と新しいエネルギーを提供します。

一日の終わりには、リラックスし、十分な睡眠をとることで、翌日に備えることが重要です。

短い休息や十分な睡眠は、心と体の健康を維持し、長期的な生産性と幸福を支えます。

小さい子どもがいる人は、子どもとすごす休日では心も体も十分に休めないばかりか、逆に体力を消耗する場合もあります。

可能なら子どものいない時間や日程での休息の確保をしてみましょう。

8　完璧主義にならない

仕事も家事も育児も完璧にやろうとすると、無理がきます。核家族で共働きをしながら……というのはかなりの無理ゲー。家事も育児もそこそこ手抜きでＯＫ！

お父さんお母さんが頑張りすぎて辛そうにしているよりも、多少手抜きでも楽しそうにしている姿のほうが子どもたちは嬉しいはずです。

「しなきゃいけない」「～しないとダメ」「頑張る」が口癖の人は要注意！

完璧主義にならずに、心を緩めて自分の心身の健康を第一にしてくださいね。

会社員と正反対！ SNSサポート副業をする人が必要なマインドセット

「仕事が増えないように仕事ができないふりをしていました」

というのは、私のスクールの受講生の言葉。

会社員や公務員だと仕事ができる人のところに仕事が集中しがちなのに、仕事ができない人と給料が変わらないという事象が発生します。

だから、いかに仕事をせずに効率悪く時間が過ぎることを、期待するような振る舞いをしてきたという人もいるかもしれません。

その一方で、**SNSサポート副業やフリーランスで行う場合、時間≠お金になります。**

この場合の時間とは、できる限り効率良く、短時間でクオリティの高いものを出せるほうが収入が上がっていくということ。

時間をかけて頑張ったことは評価にはなりません。成果物や売上が報酬になります。

さらに、**自分の仕事の効率を良くして、単価を上げていくことはもちろんなのですが、時間単価が高い人の時間を奪わないということも非常に重要です。**

クライアントやディレクターやプロデューサーは忙しい人たちです。

時間を割く＝大きなコストがかかることなのです。

たとえば年商5000万円のプロデューサーが月に100時間を仕事にあてていたとしたら、時給は約4万2000円という計算になります。

あなたがプロデューサーの時間を30分使うということは、2万1000円の利益を奪う行為になります。

ですから、どうやったら時間単価が高い人の時間を短縮できるかを考えながら仕事をしていくことが必要ですし、時間単価が高い人の時間を節約することができる人は非常に重宝される人材となります。

たとえば、次にあげる質問では、どちらが時間をとらずにすむでしょうか？

（1）「〜がわかりません」
（2）「質問があります〜はAかBかどちらでしょうか？」

この場合、圧倒的に（2）のほうが答えやすいですよね？　オープンクエスチョンだと質問の意図がわかりにくい上に、文章を考えなくてはいけませんが、AかBかで聞かれたら「A」とか「B」とかすぐ答えることができます。

他にも「どんなデザインが良いでしょうか？」と聞かれるよりも「Aタイプ、Bタイプ、Cタイプどのテイストがお好みですか？」と参考画像とともに提示をしてくれたほうが、圧倒的に答えやすいのです。

また、**コミュニケーションコストが高いと、どんなにクオリティが高くてもお仕事をも**

らいにくくなります。

たとえば「こんな私でもできますか？」「やったことがありませんが大丈夫でしょうか？」「お役に立てているか心配です」という、「大丈夫」という言葉待ちのコミュニケーションは封印しましょう。

クライアントやディレクターはカウンセラーではありませんし、学校の先生でもありません。

プロフェッショナルとしてのあなたに仕事を依頼していますので、慰めたり応援したり安心させるために時間を使わせないようにしましょう。

フリーランスとして、特にリモートワークの環境下では、仕事上のコミュニケーションは主にオンライン通話やテキストによって行われます。

日常的に使用するのはテキスト、つまり、メールやメッセンジャー、チャットワークな

どのコミュニケーションツールが中心となります。

ここで重要なのは、**ネガティブな言葉よりもポジティブな言葉を使う意識を持つこと**です。

たとえば、打診された期日の実現が厳しいときに、長々とした言い訳をせずに、「○日は難しいですが、△日まででしたら対応可能です。ご都合はいかがでしょうか？」と簡潔かつ肯定的に伝えることが重要です。

また、「〜はやったことがありませんので、ご迷惑をおかけすることもありますが……」という自己保身の言葉は避け、クライアントに対して自信と準備を示す言葉を選びましょう。クライアントは作業者を育てる義務はありません。

貴重な時間と労力を節約するためにも、明確かつポジティブなコミュニケーションが求められます。

仕事上のやりとりは、簡潔に、ポジティブに行うことが重要です。できない理由を述べるのではなく、「これならばできます」というポジティブな言い回しに変換して伝えるよう努めましょう。

さらに、「〜は聞いていなかったので」「〜って言っておいてくれたら良かったのに」というような**自己保身の言葉も避けることが重要**です。

自分が悪くないことを証明するのではなく、クライアントと協力して解決策を見つける姿勢が求められます。

納品物や請求に関する事項では、作成前に確認を行うことが重要であり、確認を怠ったことはこちらの責任と認める姿勢が重要です。

副業やフリーランスとして仕事をしていくには、ときには会社員マインドと正反対の考え方をすることも必要です。

従業員ではなく経営者として、指示待ちではなく全体を見渡しながら仕事ができるように視点を変えてみてくださいね。

27 ビジネスが継続できなくなる10の原因

SNSサポート副業でビジネスを継続していこうと思っても、どこかで躓いてしまったのならば、次の原因が当てはまっているかもしれません。もし当てはまっている部分があるならば、後で解決法までお伝えするので読み進めてみてくださいね。

1 そもそもSNSサポート副業が向いていなかった
2 メンタルや体調を壊した
3 安定収入を得るところまで行かなかった
4 ある程度まで行って限界を迎えた
5 勉強だけしてスタートしなかった
6 向いてない方法を選択していた
7 ライフスタイルの変化に耐えられなかった

8　時流の変化に対応できなかった
9　チームをうまく扱えなかった
10　パートナーに恵まれなかった

1　そもそもＳＮＳサポート副業が向いていなかった

そもそもＳＮＳサポート副業が向いていない人は存在します。能力が高いとか低いとかではなくて、その人の特性が向いていないのだから仕方がありません。

決まった仕事や与えられた仕事を、完璧にこなすことが得意な人もいます。自宅で一人で淡々と行うのが得意な人もいれば、他の人と一緒にコミュニケーションを取りながら行うのが得意な人もいます。

これは向き不向きがあるので、やってみて向いてなかったと気づき、会社員に戻る人も存在します。

2　メンタルや体調を壊した

これもよく聞く話です。会社員と違って、やろうと思えば自分裁量でどこまでだってできてしまうのが、ＳＮＳサポート副業です。

完璧主義で真面目な人ほど、ハードワークで心や身体に不調をきたしてしまう例は枚挙にいとまがありません。

また向いていないことを気合いと根性でやってしまうと、後にガクッとくるケースもあります。

目が見えなくなった、耳が聞こえなくなった、腰痛で座っていられなくなったなど、物理的に継続が難しい状況に追い込まれてしまうケースも実際にあります。

3　安定収入を得るところまで行かなかった

ＳＮＳサポート副業はやることをやって、経験と実績を積んでいけば、継続的な売上を上げることは難しくありません。

でも安定収入を得るまでの段階で心が折れてしまったり、疲弊して脱落していくケースも存在します。

4　ある程度まで行って限界を迎えた

個人で行う副業・フリーランス活動には、手が届く範囲と時間に限りがあります。適切なパートナーやスタッフとチームを組んで行くことができれば拡大が見込めますが、自分一人で抱える仕事ではどこかで限界を迎えます。

5　勉強だけしてスタートしなかった

いわゆるセミナージプシーと言われるケース。

起業講座や単科のスキル講座、副業セミナーなどを受けて、一通りやってみるも、まだ足りないような気がして別の講座を受けにいってしまうタイプの人が存在します。

基本的には学ぶのが好きで熱心なのですが、講座内でやってみた範囲のところまでで満足し、そこからビジネスを開始することや、開始した後、継続に踏み切らないケースが存在します。

6　向いてない方法を選択していた

毎日決まったルーティンワークや、堅実な事務処理が向いている人もいれば、顧客と接触してコミュニケーションを取るタイプなど、さまざまなタイプの人がいます。そもそもその人の特性的に、まったく合っていない場合は苦行でしかありませんので、本当に自分に向いているものを選択するように、自分自身と向き合いましょう。

もちろん「慣れ」はありますし、器用な人はなんでもこなせてしまうでしょう。でも、その仕事をそもそもやりたいかどうか、自問自答することをおすすめします。

7　ライフスタイルの変化に耐えられなかった

当たり前だけれど生きていればライフスタイルは変わっていきます。独身だったのが結婚するかもしれないし、子どもができるかもしれないし、親に介護が必要になるかもしれません。今まで仕事に使えてきた時間が、圧倒的に減ってしまうということもよくある話です。

その人のビジネスが、ライフスタイルの変化に応じられるような仕組みになっていないと、どんなに継続したいとしてもできなくなってしまいます。

8　時流の変化に対応できなかった

インターネット業界の変化はとても早いです。
mixiだったものが、Facebookになり、Xになり、InstagramになりTikTokになろうとしている。

SEOのアルゴリズムも日々変わり、各種ツールやアプリも変化していっています。同じメディアであっても、トレンドによって表出が全然変わる場合もあります。

YouTubeやClubhouseなど、トレンドに乗り切った人は大きくフォロワーを増やし、遅れを取った人は伸び悩むということを、ＳＮＳ界は何度も繰り返しています。

そのときに自分のビジネスが時流に乗れるか、もしくは媒体に依存せずに継続可能な仕組みになっているかが、継続できるかどうかの重要ポイントです。

9　チームをうまく扱えなかった

一人でのビジネスには限界があります。

ある程度の規模を超えたら、スタッフと連携して拡大していくことが必要になりますが、スタッフの連携を間違えると崩壊の原因になります。

適材適所に人を配置できているか、報酬は妥当か、評価や感謝を与えているか、不正を働いている人はいないか、スタッフを育成できているか、ストレスを与えすぎていないかなどなど、チームで動く上で必要な要素がいくつもあります。

チームをつくり運営していくことは、一人でやるビジネスとは大きく仕事内容が異なるため、そのマインドチェンジが必要になります。

10 パートナーに恵まれなかった

これにはビジネスパートナーとプライベートのパートナーと両方のパターンがあります。

ビジネスパートナーに恵まれなかった場合、どこかで不平等になったり不和が起こって、協業を続けていくことが難しくなるときが訪れます。

プライベートのパートナーに恵まれなかった場合、本人の生活や人生自体がままならない可能性も出てくるでしょう。

パートナーとの関係性が悪くなった場合、どちらにせよ事業の継続に悪影響を与えることは想像に難くありません。

というわけでここまでが継続できなかった原因です。

耳が痛かったり胸が痛かったりするところもあったのではないかと思いますが、継続できない理由の反対のことをすれば、継続できるわけなので、逆を考えてみましょう。

順調に事業が継続できる10の理由

次に、事業を順調に継続できる理由についてお話ししましょう。
そこには10のポイントがあります。

1 自分の特性を知っている
2 心身の健康管理に気を遣っている
3 安定的な収入を得られる仕組みにしている
4 チームでビジネスをしている
5 行動しながら検証している
6 向いている働き方を選択している
7 柔軟なビジネスを行っている
8 本質的なビジネスをしている

9 チームスタッフを大切にしている
10 パートナーを大切にしている

1 自分の特性を知っている

人間にはそれぞれ特性があります。向き不向きがあって当然です。表に出るのが得意な人もいれば、サポートをすることが得意な人もいます。

コミュニケーションを取るのがうまい人もいれば、説明がピカイチな人もいます。

継続できている人は、自分の特性を知ってそれを活かす働き方をしています。

2 心身の健康管理に気を遣っている

多くの副業・フリーランスの人が最終的には体が資本という結論に至っています。体力や筋力の維持、質の高い食事と睡眠、ストレスを溜めない日常生活と休息をとることを常に心がけましょう。

3　安定的な収入を得られる仕組みにしている

安定的な仕事＝サブスクやオンラインコミュニティというわけではありません。経験や実績、資産や人脈が蓄積していく働き方やビジネスの構築をしていくことが重要です。

4　チームでビジネスをしている

一人で事業をするには限界があります。

サッカーでストライカーしかいなかったらゲームは成り立ちません。**ゴールを守るキーパーがいて、パスを出す司令塔がいて、ボールを運ぶ人がいて、最後にパスを出す人がいなければストライカーはシュートを決められません。**

一人で行うビジネスはこれらを全部自分でやっているようなものです。継続している人は、あらかじめこの役割分担を念頭に置いてチーム構成をしています。

5　行動しながら検証している

勉強には終わりはありません。完璧に準備が整うなんてことはありません。だから行動しながら検証して実践していくことを継続しています。

トラブルを解決しながらより良い結果を出すためにトライし続けています。

6　向いている働き方を選択している

自分の特性を知り、特性に合った働き方をしているのはもちろん、自分に不得意なことは他の人に任せることを前提にしています。

不得意なことを無理してやらないし、得意な人に得意なことを任せています。

7　柔軟なビジネスを行っている

たとえばコロナのように、大きく環境が変わったときに対応できるビジネスの対策はできていますか。

撤退も新規参入も、早い決断と早い行動が求められます。継続できる人は決断と行動が早い人でもあります。

8　本質的なビジネスをしている

誰かの問題を解決すること。誰かに満足を提供すること。

これらによって経済活動は成り立っています。

対価に見合った価値提供ができていれば、SNSを使おうがSNSを使わなかろうが、ビジネスを行うことができます。ツールやトレンドに振り回されることのないビジネスの体幹を、しっかりつくっていくことを念頭に入れておくことをおすすめします。

9　チームスタッフを大切にしている

実は軽視しがちだけれど最も重要と言えるかもしれないのが、チームスタッフです。

一朝一夕では関係性をつくり上げることはできないからこそ、しっかり腰を据えて構える必要があります。

スタッフの育成、信頼関係の構築、承認と感謝。当たり前のことなど何もありません。リーダーはチームがいなければ何もできません。

チームビジネスがうまくいっている人は、常に貢献をしながらチームを大切にしています。

10　パートナーを大切にしている

自分が好きな仕事をしていられるのは、パートナーのおかげだと認識していて、常に尊重し感謝を伝えています。

家庭が不安定では仕事も不安定になります。そして仕事を何のためにしているのか、自分の幸せとは何か、優先順位を理解しています。

以上が、継続できている10の理由です。

これらを短くまとめると、

- 自分に向いた働き方をする
- チームでビジネスをする
- チームやパートナーを大切にする
- 心身の健康を維持する

ということですね。

一人で頑張らないほうがいいですし、得意ではないことを無理してやらないほうがいいでしょう。

しっかり寝たほうがいいですし、プライベートも大事したほうがいいです。好きな場所で得意な仕事で、望む収入を得る働き方を選択できるからこそ、一人で頑張るのをやめましょう。

不得意なことを無理してやらなくていいのです。

あなたが得意なことで、求められて感謝されて仲間とつながっていくことで、ＳＮＳサポート副業は持続可能なビジネスになっていきます。

こうして堅実に着実に充実した働き方ができる

結局最終的には心身の健康が一番大切です。これは多くの成功者たちがたどり着いた結論でもあります。

心身の健康がなければ、日々の業務を効率的にこなすことはできません。健康な体は、効果的な仕事の実行、特に時間とエネルギーを要するＳＮＳサポート副業においては必要不可欠です。

健康でいるためには、あまりにも普通のことですが、健康的な生活習慣を確立することが大事です。

定期的な運動、十分な睡眠、バランスの取れた食事、リラックスやマインドフルネスの実践、適切な時間管理と仕事と私生活のバランスを取っていくことを心がけましょう。

そう、結局はあなたが健康であること、たとえ病気や怪我をしてしまったとしても、精神的に健康であることがとても重要です。

得意じゃないことや好きでもないことを、無理して頑張って続けていくことは誰も幸せにしません。

健康を阻害する働き方を避け、心身の健康を最優先事項と掲げた上で、あなたに合ったSNSサポート副業を実践してくださいね。

おわりに

あなたの未来へ向けたメッセージ

ＳＮＳサポート副業を実践することで、好きな場所、好きな時間、得意なことで収入を得られるようになった後、あなたはどんな未来を望みますか？

旅行をしながらパソコン１つで仕事をすることもできるでしょう。海辺の可愛い一軒家でビーチベッドの上で指示出しをするだけで仕事が成り立つ状態かもしれません。

何を望むか、何を実現するかはすべてあなた次第です。ぜひあなたの望みを制限をかけずに思い描いてみてくださいね。

突然ですが、私はスポーツ漫画が好きです。

さまざまな能力を持った魅力的な登場人物たちが、自分の特性を活かして協力し合いながら困難に対峙して勝利していく姿にワクワクします。

攻撃力の強いパワーヒッターがいて、戦略を練るのが得意な司令塔がいて、献身的に走り回る中継者がいて、誰よりも早いスピードスターがいて、誰よりも頼れる守護者がいる。そんな特徴あるキャラクターたちが活躍するような話がとても好きなのです。

人間は皆、特別な天才性を持っています。

そして皆、ポンコツなところも持っています。攻撃力が強い人もいればスピードが速い人もいる。

守備の要が最前線に行くべきじゃないし、スピードスターに体力勝負は向いていません。パワーヒッターが戦略を練ると肉弾戦一択になるし、司令塔を走り回らせたら全体が見えなくなってしまいます。

強みを活かさず無理をすることは全体においては損失です。

一人でできることなんてたかがしれています。

得意な人が得意なことだけやればいい。誰かの天才性で誰かのポンコツなところを埋め合わせながら協力して進めばいいと心から思っています。

先ほども申し上げましたが、得意じゃないことを頑張ったり向いてないことを我慢してやるから、全体的になんだか不幸な結果になるわけです。

我慢をやめて自分の天才性を活かすと世界が少し良くなります。天才性を活かさないなんて世界にとっては損失なのです。

私は個人個人が天才性を活かせるそんな世界になったらいいなと思っています。

みんながみんな天才性を活かして生きられる世界になったらいいと思っています。

今ある不幸な現実は、だいたいが仕組みがうまくいっていないから発生していることがほとんどだと思うのです。

ヤングケアラーの存在、シングルマザーの貧困、ＤＶや虐待、犬猫の殺処分などなど。仕組みが整って適材適所に人材や企業や資金が配置されていったら解決できることもあると考えています。

できればその解決に少しでも貢献できたら良いと思うのです。

まずはもっと身近なところから。

ブラック企業で疲弊しながら労働したり、ワンオペで発狂しそうな子育てしたり、生活費に困窮しながら生活したり、キャッシュフローに怯えながら事業したり。

そんなことも、個々が天才性を活かしながら協力しあえる仕組みで動けたら色んなことが解決できると思っています。

そしてどうせなら「楽しく」。

楽しくないと生きている意味なんてないと本気で思っています。楽しくないゲームにわざわざログインしませんよね？　魂は楽しむために地球にやってきていると考えます。
世界が少し良い場所になるように、あなたも我慢をやめて自分の天才性を活かしませんか？

土岐あい

確実に月10万稼げる「令和の内職」

SNSサポート副業（ふくぎょう）

2023年12月15日　初版発行

著　者……土岐（とき）あい
発行者……塚田太郎
発行所……株式会社大和出版
東京都文京区音羽1-26-11　〒112-0013
電話　営業部03-5978-8121／編集部03-5978-8131
http://www.daiwashuppan.com
印刷所／製本所……日経印刷株式会社
装幀者……岩永香穂（MOAI）
装画者……セキサトコ

ISBN978-4-8047-1906-1